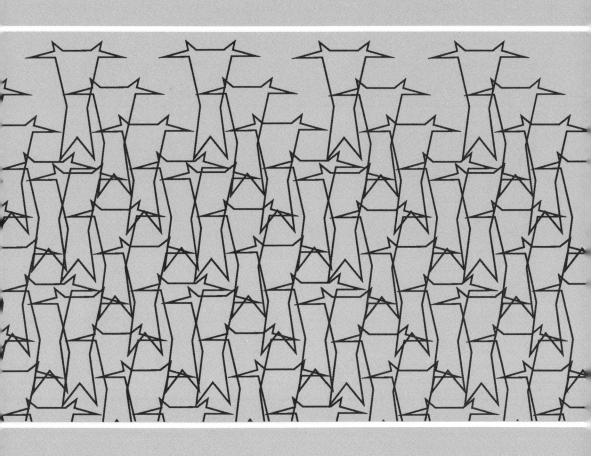

Vocabulaire illustré
des lignes aériennes
de transport et de distribution
d'électricité

Dépôt légal - 3e trimestre 1987
Bibliothèque nationale du Québec
Bibliothèque nationale du Canada
ISBN 2-550-17739-8

D 87-0043

Avant-propos

Le *Vocabulaire illustré des lignes aériennes de transport et de distribution d'électricité* se présente en quatre fascicules : le premier porte sur les supports, le deuxième, sur les conducteurs et les isolateurs, le troisième, sur l'ingénierie et la construction et le quatrième, sur l'entretien. Dans chaque fascicule, les termes sont classés par ordre alphabétique, à l'intérieur de subdivisions qui les regroupent suivant un ordre logique.

Dans la plupart des cas, on peut facilement retracer un terme à partir de l'index qui se trouve à la fin de chaque fascicule. Mais il peut aussi arriver que l'on s'interroge. Par exemple, le terme *emprise* est-il défini dans le fascicule qui porte sur les supports ou dans celui sur l'ingénierie et la construction ? Et le terme *connecteur* ? Apparaît-il dans le fascicule traitant des conducteurs et des isolateurs ou dans celui sur l'entretien ? Où peut-on trouver l'équivalent de "moisture tester", de "catenary" ou de "multiple-circuit structure" ?

Pour permettre à l'utilisateur de trouver rapidement la réponse à ces questions, nous avons élaboré un index général. Celui-ci regroupe les termes des quatre fascicules. On trouve d'abord l'indication du fascicule (1, 2, 3 ou 4) suivie d'un nombre qui renvoie au numéro du terme. Par exemple, *pylône 1 : 20* signifie que le terme pylône est dans le fascicule 1 au n° 20.

Nous espérons que la consultation de cet index général simplifiera l'utilisation des quatre fascicules du *Vocabulaire illustré des lignes aériennes de transport et de distribution d'électricité.*

Index des termes français

A

absorbeur d'énergie, **4 : 213**

accélérateur de prise, **3 : 159**

accessoire, **2 : 38, 143**

*adaptateur, **4 : 8**

adaptateur à chape, **4 : 84**

*adaptateur de berceau sur selle
pour poteau, **4 : 102**

*adaptateur genouillère, **2 : 171**

adaptateur pour berceau, **4 : 102**

adaptateur pour deux perches, **4 : 85**

adaptateur pour perche à crochet, **4 : 136**

adaptateur universel, **4 : 137**

*additif, **3 : 159**

adjuvant, **3 : 159**

affaissement, **3 : 189**

agent expansif, **3 : 160**

*agrégat, **3 : 203**

aiguille vibrante, **3 : 161**

aile, **1 : 140**

ailette, **2 : 107**

aire d'assemblage (au sol), **3 : 230**

aire de stockage, **3 : 130**

alignement, **3 : 131**

allongement, **3 : 11**

*amarre compressible, **2 : 86**

âme, **2 : 1**

âme câblée, **2 : 1**

âme massive, **2 : 1**

amortisseur, **2 : 42**

amortisseur à piston, **2 : 39**

amortisseur à poids, **2 : 40**

amortisseur à torsion, **2 : 41**

amortisseur de chute, **4 : 213**

amortisseur de vibrations, **2 : 42**

amortisseur préformé, **2 : 43**

amortisseur Salvi, **2 : 44**

amortisseur Stockbridge, **2 : 44**

amortisseur tubulaire, **2 : 45**

*Expression à éviter ou à déconseiller.

ancrage, **1 : 74, 215**
ancrage à bille, **1 : 74**
ancrage à grille, **1 : 216**
ancrage à pieu(x), **1 : 217**
ancrage à plaque, **1 : 74**
ancrage à treillis, **1 : 216**
ancrage à vis, **1 : 74, 215**
ancrage en béton, **1 : 218**
ancrage expansible, **1 : 74, 215**
ancrage injecté, **1 : 219**
*ancrage par double coinçage, **1 : 86**
ancre, **1 : 78**
ancre à ailettes, **1 : 79**
ancre à bille, **1 : 75**
*ancre à bûche, **1 : 75**
ancre à plaque, **1 : 76**
ancre à vis, **1 : 77**
ancre de haubanage, **1 : 78**
ancre expansible, **1 : 79**
ancre pour la roche, **1 : 80**
angle de balancement, **3 : 1**
angle de balancement de la chaîne d'isolateurs, **3 : 1**
angle de balancement de la pince de suspension, **3 : 1**
angle de balancement du câble de garde, **3 : 1**
angle de frottement interne, **3 : 57**
angle de garde, **3 : 2**
angle de protection, **3 : 2**
anneau, **4 : 219**
anneau amovible, **4 : 219**
anneau de garde, **2 : 144**
anneau de préhension, **4 : 179**
anneau pare-effluve(s), **2 : 144**
anorak, **4 : 184**
*anse du berceau, **4 : 103**
anse pour berceau, **4 : 103**
antichute, **4 : 230**
antichute à coulisseau, **4 : 214, 230**
antichute à enrouleur, **4 : 215, 230**
appui de traverse, **1 : 91**
arasement, **3 : 162**
ardillon, **4 : 219**
argile, **3 : 50**

*Expression à éviter ou à déconseiller.

armature de protection, **2 : 177**
armature métallique, **2 : 128**
armement, **1 : 1**
armement alterne, **1 : 2**
armement canadien, **1 : 3**
armement en double drapeau, **1 : 4**
armement en drapeau, **1 : 5**
armement en drapeau sur traverses
    en porte à faux, **1 : 8**
armement en nappe (horizontale), **1 : 6**
armement en nappe sur traverse
    en porte à faux, **1 : 8**
armement en quinconce, **1 : 2**
armement en triangle, **1 : 7**
armement en triangle sur traverses
    en porte à faux, **1 : 8**
armement horizontal, **1 : 6**
armement sur traverse(s) en porte à faux, **1 : 8**
armement vertical, **1 : 5**
*armure préfaçonnée, **2 : 78**
armure préformée, **2 : 78**
arrache-fusible, **4 : 167**
arrache-goupille, **4 : 158**
articulation, **2 : 49**
arvidal, **2 : 17**
assèchement, **3 : 188**
assemblage, **1 : 141, 3 : 231**
*assemblage, **2 : 112**
*assemblage d'alignement, **2 : 111**
*assemblage d'ancrage, **2 : 109**
*assemblage d'arrêt, **2 : 109**
*assemblage d'arrêt flottant, **2 : 110**
*assemblage de fin de course, **2 : 109**
*assemblage de support de cavalier, **2 : 117**
*assemblage de suspension, **2 : 111**
*assemblage flottant, **2 : 110**
attache, **2 : 60**
attache préformée, **1 : 92, 2 : 61**
axe, **3 : 153, 4 : 73**
axe (d'assemblage), **2 : 145**

*Expression à éviter ou à déconseiller.

B

bâche, *4 : 1*

balancement, *3 : 3*

balise, *2 : 64*

balise annulaire, *2 : 62*

balise conique, *2 : 63*

balise de conducteur, *2 : 64*

balise de croisement, *1 : 228*

balise de support, *1 : 229*

balise lumineuse, *1 : 230*

balise sphérique, *2 : 65*

banc d'emprunt, *3 : 186*

banc d'essai d'ancrage, *3 : 163*

bande métallique, *1 : 132*

*banque de transformateurs, *1 : 135*

barre, *4 : 112*

barre à mine, *3 : 164*

barreau, *2 : 56*

barreau intermédiaire, *4 : 104*

*barre d'écartement, *4 : 237*

barre de raccordement de terre, *4 : 105*

*barre de rallonge, *2 : 178*

bas (de tirage), *3 : 267*

base, *1 : 52*

*bassicot, *3 : 294*

bâti, *2 : 50*

*bâton isolant, *4 : 39*

*bâton vivitechnique, *4 : 39*

battage, *3 : 165*

battre à refus, *3 : 219*

*bélier mécanique, *3 : 132*

benne preneuse, *3 : 216*

béquille, *4 : 94*

berceau, *4 : 109*

berceau à plateau, *4 : 106*

berceau combiné, *4 : 107*

berceau latéral, *4 : 108*

berceau pour isolateurs, *4 : 109*

*berceau pour isolateurs (ouverture latérale), *4 : 108*

*berceau pour isolateurs (plateau à chaîne), *4 : 106*

berceau standard, *4 : 106*

béton, *3 : 166*

béton à durcissement rapide, *3 : 175*

---

*Expression à éviter ou à déconseiller.

bétonnage, 3 : 167
bétonnage par temps chaud, 3 : 167
bétonnage par temps froid, 3 : 167
bétonnière, 3 : 168
bétonnière portée, 3 : 169
*béton prémélangé, 3 : 170
béton prêt à l'emploi, 3 : 170
*bicycle motorisé, 3 : 296, 4 : 245
bille d'ancrage, 1 : 75
bille d'appui, 1 : 81
bimétal, 2 : 21, 23
*bitte d'assurance, 4 : 216
bitte double, 4 : 216
blanchet, 4 : 219
blindage, 3 : 171
bloc bifilaire, 2 : 102
bloc d'armement, 4 : 86
bloc de bretelle, 2 : 46
bobine, 4 : 252
boisage, 3 : 171
boîte d'extrémité, 2 : 66
boîte d'extrémité modulaire, 2 : 66
boîte d'extrémité tripolaire, 2 : 66
boîte d'extrémité unipolaire, 2 : 66
*boîtier isolant, 2 : 75
*borne de cavalier, 2 : 73
bossage, 4 : 179
boucle, 4 : 219
boucle porte-outils, 4 : 219
boucleteau, 4 : 219
boulon, 1 : 96
boulon à cosse, 1 : 93
boulon à oeil, 1 : 94
boulon à oeil avec embase, 1 : 95
boulon à oeil avec embase muni d'un maillon à rotule, 1 : 95
boulon à oeil avec épaulement, 1 : 95
boulon avec écrou, 1 : 96
boulon d'espacement, 1 : 97, 2 : 146
*boulon d'isolateur-bobine, 2 : 147
boulon en U, 2 : 76
boulon mécanique, 1 : 96

*Expression à éviter ou à déconseiller.

boulonnage, *3 : 232*
boulon pour isolateur-poulie, *2 : 147*
bouteur, *3 : 132*
bouton de verrouillage à ressort, *4 : 44*
branchement, *1 : 67*
bras, *2 : 51*
bras d'armement auxiliaire, *4 : 61*
bras inférieur, *3 : 280, 4 : 236*
bras pivotant, *4 : 62*
bras supérieur, *3 : 280, 4 : 236*
bretelle, *2 : 11*
bretelle antivibratoire, *2 : 47*
*bretelle à tube rigide, *4 : 131*
bretelle de continuité électrique, *2 : 11*
bretelle feston, *2 : 48*
bretelles, *4 : 240*
*bride, *2 : 76, 82*
*bride à genouillère, *2 : 82*
bride de serrage, *3 : 267*
brin, *2 : 6*
broche coudée, *4 : 138*
*broche d'alignement, *4 : 138*
brosse à conducteur, *4 : 139*
brosse à conducteur en V, *4 : 139*
brosse à conducteur semi-tubulaire, *4 : 139*
bruit audible, *3 : 99*
*bûche d'ancrage, *1 : 75*
*bulldozer, *3 : 132*

*Expression à éviter ou à déconseiller.

C

cabestan, *3 : 264, 4 : 110*

câblage, *2 : 2*

câble, *2 : 3, 3 : 133*

câble d'assurance, *4 : 222*

câble de garde, *2 : 12*

câble de levage, *3 : 233, 241*

câble de liaison, *4 : 252*

câble de relevage de flèche, *3 : 241*

*câble de secours, *4 : 222*

câble de sécurité, *4 : 222*

câble de terre, *2 : 12*

*câble de tirage, *3 : 265*

*câble pilote, *3 : 266*

câblette de déroulage, *3 : 265*

câblette de tirage, *3 : 265*

câblette guide, *3 : 266*

cachet, *1 : 98*

cadre, *1 : 142, 2 : 50*

*cage de travail, *3 : 295*

*cage d'oiseau, *3 : 276*

caisson, *1 : 82, 3 : 172*

cale d'extraction, *4 : 111*

camion-malaxeur, *3 : 169*

canton, *3 : 73*

canton de pose, *3 : 73*

capacité portante admissible, *3 : 55*

capacité portante limite, *3 : 56*

capot, *2 : 108*

capuchon de protection, *4 : 2*

capuchon protecteur, *4 : 2*

carre, *1 : 143*

*Expression à éviter ou à déconseiller.

carrière, **3 : 134**
*carrosse téléphérique, **3 : 296, 4 : 245**
cas de charge, **3 : 12**
*cas de chargement, **3 : 12**
casque de battage, **3 : 174**
casque de motoneigiste, **4 : 185**
casque de sécurité, **4 : 185**
*caténaire, **3 : 74**
*cavalier, **2 : 11, 4 : 131**
ceinture, **4 : 217**
ceinture d'élagueur, **4 : 218**
ceinture de monteur, **4 : 219**
centrale à béton, **3 : 173**
centrale à coulis, **3 : 173**
centrale mobile, **3 : 173**
centre (instantané) de rotation, **3 : 51**
chaîne d'alignement, **2 : 111**
chaîne d'ancrage, **2 : 109**
*chaîne d'arrêt, **2 : 109**
chaîne d'attache, **4 : 86**
chaîne d'attache à levier de serrage, **4 : 86**
chaîne d'attache à volant de serrage, **4 : 86**
chaîne de portée, **2 : 110**
*chaîne de rallonge, **4 : 90**
chaîne de suspension, **2 : 111**
chaîne d'isolateurs, **2 : 112**
chaîne double, **2 : 113**
chaîne en A, **2 : 114**
chaîne en V, **2 : 115**
chaîne équipée, **2 : 112**
chaîne multiple, **2 : 116**
chaîne pour bretelle, **2 : 117**
chaîne quadruple, **2 : 116**
chaîne simple, **2 : 118**
chaîne triple, **2 : 116**
chaînette, **3 : 74**
*chaise de travail, **4 : 250**
champ électrique, **3 : 100**
champ électromagnétique, **3 : 101**

*Expression à éviter ou à déconseiller.

champ électrostatique, 3 : 100
champ magnétique, 3 : 102
chape, 1 : 98, 2 : 148, 3 : 153
*chape à chape, 2 : 152
chape à logement de rotule, 2 : 149
chape à oeil, 2 : 150
chape à rotule, 2 : 151
chapeau de battage, 3 : 165, 174
chape double, 2 : 152, 4 : 87
chape double à 90 °, 2 : 152
chape en V, 2 : 153
chape en V à logement de rotule, 2 : 153
chape en V à oeil, 2 : 153
chape en V à rotule, 2 : 153
*chape en Y, 2 : 153
charge, 3 : 13
charge atmosphérique, 3 : 14
*charge axiale, 3 : 27
charge climatique, 3 : 14
charge combinée, 3 : 14
*charge débalancée, 3 : 27
charge de construction, 3 : 15
charge de givre, 3 : 16
charge de givre dissymétrique, 3 : 17
charge de givre symétrique, 3 : 18
charge de givre uniforme, 3 : 18
charge d'entretien, 3 : 19
charge de rupture, 3 : 20
charge déséquilibrée, 3 : 27
charge de service, 3 : 21
charge d'essai, 3 : 22
*charge de tous les jours, 3 : 21
charge de vent, 3 : 23
charge de verglas, 3 : 24
charge de verglas dissymétrique, 3 : 25
charge de verglas symétrique, 3 : 26
charge de verglas uniforme, 3 : 26
charge dynamique, 3 : 13
charge horizontale longitudinale, 3 : 27
charge horizontale transversale, 3 : 28
charge hypothétique, 3 : 43

*Expression à éviter ou à déconseiller.

*charge journalière, **3 : 21**
charge limite, **3 : 29**
charge longitudinale, **3 : 27**
charge statique, **3 : 13**
charge transversale, **3 : 28**
chargeuse, **3 : 135**
chargeuse à chenilles, **3 : 135**
charge verticale, **3 : 30**
chaussette (de tirage), **3 : 267**
chausson, **4 : 186, 191**
chaussure de sécurité, **4 : 187**
chaussure de sécurité conductrice, **4 : 187**
chaussure de sécurité d'été, **4 : 187**
chaussure de sécurité d'hiver, **4 : 187**
chaussure de sécurité isolante, **4 : 187**
chemin de roulement, **4 : 33, 63, 66**
*chenillard, **3 : 152**
chenille, **3 : 241**
chenille large, **3 : 132**
chenillette, **3 : 152**
chevalet de câble de garde, **1 : 144**
chevalet de déroulage, **3 : 268**
*cheville, **2 : 184**
*cheville à console, **2 : 185**
*cheville à transformateur, **2 : 186**
*cheville à traverse, **2 : 188**
*cheville de tête, **2 : 187**
*cheville-écrou, **2 : 186**
*chiffon de nettoyage, **4 : 3**
chiffon siliconé, **4 : 3**
ciment, **3 : 175**
ciment en sac, **3 : 212**
circuit, **1 : 9**
circuit à basse tension, **1 : 9**
circuit de ligne électrique, **1 : 9**
cisaille (coupe-câble), **3 : 269**
cisaille hydraulique, **3 : 269**
cisaille mécanique, **3 : 269**
cisaillement, **3 : 31**
ciseau radial, **3 : 227**
claquage, **3 : 103**
clé à rochet, **4 : 140**

*Expression à éviter ou à déconseiller.

cloche, **2 : 123**
*clou commun, **1 : 100**
clou dateur, **1 : 99**
clou (d'identification) de poteau commun, **1 : 100**
clou (d'identification) de poteau vendu, **1 : 101**
*clou d'usage en commun, **1 : 100**
*coefficient de surcharge, **3 : 37**
coffrage, **3 : 176**
coffre de rangement, **3 : 280, 4 : 236**
cohésion, **3 : 52**
collier, **1 : 102, 4 : 4**
collier à anneau, **4 : 5**
*collier à étrier, **4 : 6**
collier à manille, **4 : 6**
collier en bois pour chaîne d'isolateurs, **4 : 112**
collier en métal pour chaîne d'isolateurs, **4 : 112**
collier pour chaîne d'isolateurs, **4 : 112**
collier pour chaîne double, **4 : 112**
combinaison, **4 : 188**
compactage, **3 : 177**
*compaction, **3 : 177**
*composante, **1 : 188**
compresseur, **3 : 178**
compression, **3 : 32**
conducteur, **2 : 4**
conducteur câblé, **2 : 3**
conducteur de branchement, **2 : 13**
conducteur de dérivation, **2 : 16**
conducteur de descente, **2 : 14**
conducteur de ligne, **2 : 4**
conducteur de mise à la terre, **2 : 14**
conducteur de phase, **2 : 15**
conducteur dérivé, **2 : 16**
conducteur de terre, **2 : 14**
conducteur élémentaire, **2 : 36**
conducteur en alliage d'alu-acier, **2 : 18**
conducteur en alliage d'aluminium, **2 : 17**
conducteur en alliage d'aluminium-acier, **2 : 18**
conducteur en alu-acier, **2 : 20**
conducteur en aluminium, **2 : 19**
conducteur en aluminium-acier, **2 : 20**

*Expression à éviter ou à déconseiller.

conducteur en alumoweld, **2 : 21**
conducteur en alumoweld et aluminium, **2 : 22**
conducteur en copperweld, **2 : 23**
conducteur en copperweld et cuivre, **2 : 24**
conducteur en cuivre, **2 : 25**
conducteur en faisceau, **2 : 26**
conducteur hétérogène, **2 : 27**
conducteur homogène, **2 : 28**
conducteur isolé, **2 : 29**
conducteur mixte, **2 : 27**
conducteur neutre, **2 : 30**
conducteur nu, **2 : 31**
conducteur simple, **2 : 26, 32**
cône d'Abrams, **3 : 189**
congé, **1 : 145**
connecteur, **2 : 67**
connecteur à anneau, **2 : 70**
*connecteur à coinçage, **2 : 68**
connecteur à coincement, **2 : 68**
connecteur à comprimer, **2 : 69**
connecteur à gorges parallèles, **2 : 69**
connecteur à serrage mécanique, **2 : 70**
connecteur de mise à la terre, **4 : 27, 113**
connecteur de mise à la terre
    à angle variable, **4 : 114**
connecteur de mise à la terre à bec mobile, **4 : 115**
connecteur de mise à la terre ordinaire, **4 : 113**
connecteur de mise à la terre
    pour barre omnibus, **4 : 113**
connecteur de terre, **4 : 113**
connecteur de terre à angle variable, **4 : 114**
connecteur de terre à bec mobile, **4 : 115**
connecteur de terre ordinaire, **4 : 113**
connecteur de terre pour barre omnibus, **4 : 113**
connecteur en C, **2 : 69**
*connecteur en T, **2 : 71**
*connecteur neutre, **2 : 99**
*connecteur pour tige de terre, **2 : 100**
connecteur siamois, **4 : 116**
connexion de shuntage, **2 : 33**

*Expression à éviter ou à déconseiller.

console, *1 : 146*
console de suspension, *2 : 154*
console en V, *2 : 155*
console pour fixation multiple, *2 : 156*
console pour isolateur rigide à tige, *2 : 157*
contournement, *3 : 104*
contrainte, *3 : 33*
contre-écrou, *1 : 112*
contrefiche, *1 : 42, 147*
contrefiche de poteau, *1 : 42*
contrefiche de traverse, *1 : 42*
contrepoids, *2 : 34, 158*
contre-profil à x mètres, *3 : 94*
contrôleur bipolaire, *4 : 252*
contrôleur de courant de fuite de surface, *4 : 255*
contrôleur-repéreur de phases, *4 : 252*
coque latérale, *4 : 196*
coquille de dérivation, *2 : 71*
coquille de réparation, *2 : 72*
cordage, *3 : 136, 4 : 220*
cordage torsadé, *3 : 136, 4 : 220*
cordage tressé, *3 : 136, 4 : 220*
corde, *3 : 136, 4 : 220*
corde d'amorçage, *3 : 270*
corde d'assujettissement, *4 : 221*
corde d'assurance, *4 : 222*
corde de guidage, *3 : 234*
corde de rappel, *3 : 271*
corde de retenue, *4 : 222*
corde de sécurité, *4 : 222*
corde de service, *3 : 272, 4 : 223*
cordon de raccordement, *4 : 211*
cordon de soudure, *3 : 247*
corne de garde, *2 : 159*
cornière, *1 : 148*
cornière à ailes égales, *1 : 140*
cornière à ailes inégales, *1 : 140*
cornière à angles arrondis, *1 : 149*
cornière à angles vifs, *1 : 150*
cornière à carre abattue, *1 : 151*
cornière en tôle pliée, *1 : 152*

corps, **2 : 184**
corps de boulon, **1 : 139**
*corridor, **3 : 75**
corset, **1 : 153**
cosse, **2 : 73**
*cosse à compresser, **2 : 73**
cosse-coeur, **1 : 103**
*cosse compressible, **2 : 73**
cosse de conducteur de terre, **2 : 73**
cosse de connexion, **2 : 73**
cosse de dérivation, **2 : 73**
cosse d'extrémité, **2 : 73**
cote de trusquinage, **1 : 164**
couche, **2 : 5**
coulis, **3 : 179**
coulis à durcissement rapide, **3 : 175**
couloir, **3 : 75**
coupe-câble, **3 : 273**
*coupe-câble à levier, **4 : 36**
*coupe-câble à levier (type cisaille), **4 : 36**
*coupe-câble à levier (type préépissure), **4 : 36**
couple, **3 : 34**
couple de serrage, **3 : 34**
courant admissible, **3 : 105**
courant de choc, **3 : 106**
courant de défaut, **3 : 107**
courant de fuite, **3 : 108**
courroie de jambe, **4 : 224**
courroie de pied, **4 : 225**
*courroie de sécurité, **4 : 241**
coussin protecteur, **4 : 226**
*couteau à dégainer, **4 : 141**
couteau à dénuder, **4 : 141**
*couverte isolante, **4 : 177**
couvre-chaussure, **4 : 189**
couvre-chaussure conducteur, **4 : 189**
couvre-chaussure isolant, **4 : 189**
*couvre-conducteur, **4 : 179**
*couvre-isolateur, **4 : 182**
couvre-joint, **1 : 154, 3 : 247**
*couvre-poteau, **4 : 180**

*Expression à éviter ou à déconseiller.

*couvre-traverse, **4 : 181**
crampon, **1 : 104**
creux de portée, **3 : 78**
crispin, **4 : 194**
crochet, **3 : 153**
crochet amovible pour échelle, **4 : 227**
crochet de hauban, **1 : 105**
crochet de levage, **3 : 241**
crochet de manoeuvre, **4 : 142**
crochet de mise au potentiel, **4 : 143**
crochet de suspension, **4 : 144**
crochet double, **4 : 144**
crochet double de hauban, **1 : 106**
*crochet du berger, **4 : 147**
crochet porte-anneau, **4 : 29, 145**
*crochet porte-berceau pour isolateurs, **4 : 128**
*crochet pour chaîne d'isolateurs, **4 : 147**
crochet pour conducteur, **3 : 274**
crochet pour corde de service, **3 : 275, 4 : 228**
crochet pour roche, **2 : 74**
crochet simple, **4 : 144**
crochet tournant, **4 : 25, 146**
croisement, **1 : 10**
croisillons, **1 : 43**
croissant, **4 : 147**
croix, **2 : 50**
cuissardes, **4 : 249**
cuissards, **4 : 249**
culot, **3 : 180**
culottage, **3 : 180**
cure, **3 : 181**
curette, **3 : 182**

*Expression à éviter ou à déconseiller.

D

*dalle, **3 : 202**
damage, **3 : 177**
danse, **3 : 111**
déblai, **3 : 183**
déblais de forage, **3 : 183**
défilement, **1 : 44**
déformation, **3 : 35**
déformation en panier, **3 : 276**
dégagement, **3 : 4**
dégoupilleur, **4 : 148**
dégoupilleur à griffe, **4 : 149**
dégoupilleur à ressort, **4 : 150**
dent, **4 : 239**
*dénudeur, **4 : 141**
déplacement latéral, **3 : 53**
dépôt, **3 : 137**
dérivation, **1 : 67**
déroulage, **3 : 277**
déroulage au sol, **3 : 278**
déroulage avec câblette et engin fixe
        de traction, **3 : 277**
déroulage avec engin mobile de traction, **3 : 277**
déroulage avec touret à poste fixe, **3 : 277**
déroulage avec touret sur remorque, **3 : 277**
déroulage manuel, **3 : 277**
déroulage mécanique, **3 : 277**
déroulage simultané, **3 : 277**
déroulage sous faible tension (mécanique), **3 : 278**
déroulage sous tension (mécanique), **3 : 279**
descendeur, **4 : 229**
détecteur de tension, **4 : 253**
détecteur d'humidité, **4 : 254**
diagonale, **1 : 155**
différence de potentiel, **3 : 124**
dispositif antichute, **4 : 230**
dispositif antichute à coulisseau, **4 : 230**
dispositif antichute à enrouleur, **4 : 230**
*dispositif d'ancrage
        pour chaînes d'isolateurs, **4 : 127**

*Expression à éviter ou à déconseiller.

*dispositif de contrôle de descente, **4 : 215***
dispositif de manutention de chaînes
*de suspension, **4 : 63***
*dispositif de mise à la terre mobile, **4 : 117***
*dispositif de verrouillage, **4 : 88, 90***
*dispositif pour installation sur la roche, **1 : 107***
*distance, **3 : 4***
*distance à la masse, **3 : 5***
*distance au sol, **3 : 6***
*distance aux obstacles, **3 : 7***
*distance entre conducteurs, **3 : 8***
*distance entre phases, **3 : 8***
*distance maximale, **3 : 4***
*distance minimale, **3 : 4***
distance phase-phase, **3 : 8*
distance phase-terre, **3 : 5*
*dosage, **3 : 184***
*dosseret, **4 : 219***
double chape, **2 : 152*
*doublure de casque, **4 : 191***
*doublure de gant, **4 : 191***
*doublure de nacelle, **4 : 190***
*doublure de vêtement, **4 : 191***
*douille, **2 : 160***
douille de sécurité, **4 : 145*
douille intermédiaire, **2 : 160*
duplex, **2 : 37*
*dynamitage, **3 : 185***
*dynamomètre, **3 : 235***

*Expression à éviter ou à déconseiller.

E

eau de gâchage, **3 : 201**
*ébranchoir, **4 : 118**
écartement, **3 : 9**
échancrure, **4 : 177**
échauffement, **3 : 109**
échelle, **1 : 233**
échelle à coulisse, **4 : 231**
échelle à crochets, **4 : 232**
échelle à éléments emboîtables, **4 : 233**
échelle à émerillons, **4 : 234**
échelle emboîtable, **4 : 233**
échelle isolante, **4 : 235**
échelon (de poteau), **1 : 108**
échelon (de pylône), **1 : 234**
échenilloir, **4 : 118**
écrou, **1 : 109**
écrou à chape, **2 : 161**
écrou à cosse, **1 : 110**
écrou à oeil, **1 : 111**
écrou de blocage, **1 : 112**
*écrou pour tirant d'ancrage, **4 : 83**
effet corona, **3 : 110**
effet (de) couronne, **3 : 110**
effort, **3 : 36**
effort d'arrachement, **3 : 54**
effort de compression, **3 : 36**
effort de soulèvement, **3 : 54**
effort horizontal longitudinal, **3 : 27**
effort horizontal transversal, **3 : 28**
effort longitudinal, **3 : 27**
effort tranchant, **3 : 36**
effort transversal, **3 : 28**
effort vertical, **3 : 30**
élément de chaîne, **2 : 131**
élévateur à nacelle(s), **3 : 280, 4 : 236**
élingage, **3 : 138**
élingue, **3 : 139**
élingue à anneau et à crochet, **3 : 139**
élingue à boucles, **3 : 139**
élingue sans fin, **3 : 139**
embase, **1 : 220, 2 : 184, 4 : 94, 98**

*Expression à éviter ou à déconseiller.

embout, **4 : 8**
embout amovible femelle, **4 : 8**
embout amovible mâle, **4 : 8**
embout cranté, **4 : 7**
embout de perche, **4 : 8**
embout fixe, **4 : 8**
embout fixe femelle, **4 : 8**
embout fixe mâle, **4 : 8**
embout universel, **4 : 9**
embout universel amovible, **4 : 9**
embout universel fixe, **4 : 9**
émerillon de déroulage, **3 : 281**
*émondoir, **4 : 118**
empattement, **1 : 156**
emprise, **1 : 11**
emprunt, **3 : 186**
encastrement, **1 : 83**
encoffrement, **1 : 84**
encombrement, **1 : 12**
enfoncer à refus, **3 : 219**
engin de positionnement, **3 : 282**
entraîneur d'air, **3 : 159**
entretoise, **2 : 52**, **4 : 237**
*entretoise, **1 : 42**
entretoise-amortisseur, **2 : 53**
entretoise amortisseuse, **2 : 53**
*entretoise annulaire, **2 : 55**
entretoise à ressort, **2 : 54**
*entretoise à tige préformée, **2 : 55**
entretoise double, **2 : 52**
entretoise flexible, **2 : 57**
entretoise préformée, **2 : 55**
entretoise quadruple, **2 : 52**
entretoise rigide, **2 : 56**
entretoise souple, **2 : 57**
entretoise souple articulée, **2 : 57**
enveloppe de protection, **2 : 75**
enveloppe extérieure, **2 : 137**
*éperon, **4 : 239**
*épingle pour nappe isolante, **4 : 178**

*Expression à éviter ou à déconseiller.

épissure, **3 : 140**
*épissure préformée, **2 : 78**
éprouvette, **3 : 187**
épuisement, **3 : 188**
équation de changement d'état, **3 : 76**
équerre couvre-joint, **1 : 157**
équipement, **3 : 142**
équipement benne preneuse, **3 : 142**
équipement de chantier, **3 : 141**
équipement de forage, **3 : 142**
équipement d'engin de chantier, **3 : 142**
équipement sonnette, **3 : 142**
équipement vibro-fonceur, **3 : 142**
*érection, **3 : 251**
espacement, **3 : 10**
*espaceur, **2 : 166**
*espaceur et barre pour installation
    du conducteur, **4 : 112**
essai au cône d'Abrams, **3 : 189**
essai d'affaissement, **3 : 189**
*essai d'arrachement, **3 : 190**
essai de mise en charge d'ancrage, **3 : 190**
essai de mise en charge d'ancrage
    par vérin, **3 : 190**
essai de mise en charge de pieu d'ancrage, **3 : 190**
essayeur de perche, **4 : 255**
étau de mise à la terre, **4 : 119**
étau de mise en place (de la partie femelle), **4 : 120**
étau de terre, **4 : 119**
*étau de terre à poulies, **4 : 117**
*étau de terre, levier en T, **4 : 119**
*étau porte-pince, **4 : 173**
étau pour perche, **4 : 151**
*étau pour tirant, **4 : 151**
étrier, **2 : 76, 162, 4 : 64**
*étrier, **2 : 82**
étrier de fixation, **2 : 162**
étrier fileté, **2 : 76**
*étui pour perche, **4 : 10**
*excavateur, **3 : 216**
excavation, **3 : 200**
*excavatrice, **3 : 216**

*Expression à éviter ou à déconseiller.

facteur de charge, 3 : 37

facteur de sécurité, 3 : 38

facteur d'utilisation, 3 : 39

faisceau (de conducteurs), 2 : 26

faisceau double, 2 : 26, 32

faisceau quadruple, 2 : 26, 32

faisceau torsadé, 2 : 37

fenêtre, 1 : 158

fer à H, 1 : 172

fer à I, 1 : 173

fer à T, 1 : 174

fer à U, 1 : 175

fer en H, 1 : 172

fer en I, 1 : 173

fer en T, 1 : 174

fer en U, 1 : 175

ferrement, 3 : 153

ferrure, 2 : 163

ferrure de haubanage, 1 : 113

ferrure pour isolateur rigide à socle, 2 : 164

ferrure pour isolateurs-poulies, 2 : 165

ferrure pour tige de tête de poteau, 2 : 166

feuillard de tenue, 1 : 132

*ficelle, 3 : 283

fil, 2 : 6

fil d'attache, 2 : 167

fil de garde, 2 : 12

*fil de terre, 2 : 14

file d'isolateurs, 2 : 119

filin, 3 : 283

fixation inférieure pour mât, 4 : 67

fixation inférieure pour mât bipode, 4 : 68

fixation supérieure pivotante pour mât, 4 : 67

fixation supérieure pour mât bipode, 4 : 68

flambage, 3 : 40

flambement, 3 : 40

flambement de flexion, 3 : 40

flambement de torsion, 3 : 40

flambement local, 3 : 40

flasque, 3 : 153, 318, 4 : 101

*Expression à éviter ou à déconseiller.

flèche, **3 : 77, 236, 239, 241, 4 : 65**
flèche à mi-portée, **3 : 77**
flèche à treillis, **3 : 237**
flèche au milieu de la portée, **3 : 77**
*flèche au niveau, **3 : 78**
flèche au point bas, **3 : 78**
flèche classique, **3 : 237**
*flèche conventionnelle, **3 : 237**
flèche en treillis, **3 : 237**
flèche finale, **3 : 79**
flèche initiale, **3 : 80**
flèche maximale, **3 : 81**
flèche télescopique, **3 : 238**
flèche treillis, **3 : 237**
fléchette, **3 : 239**
fluage, **3 : 41**
fonçage, **3 : 191**
fondation, **1 : 221**
fondation à grille, **1 : 222**
fondation à treillis, **1 : 222**
fondation bipode, **1 : 225**
fondation en béton, **1 : 223**
fondation massive, **1 : 224**
fondation monopode, **1 : 224**
fondations à pieds séparés, **1 : 225**
fondation simple, **1 : 224**
fondations indépendantes, **1 : 225**
fondation sur pieux, **1 : 227**
fondation tétrapode, **1 : 225**
forage, **3 : 192**
forage à l'air, **3 : 193**
forage à l'eau, **3 : 194**
forage mixte, **3 : 195**
forage par percussion, **3 : 196**
forage par rotation, **3 : 197**
force, **3 : 42**
force horizontale longitudinale, **3 : 27**
force horizontale transversale, **3 : 28**
force longitudinale, **3 : 27**

*Expression à éviter ou à déconseiller.

force portante admissible, **3 : 55**
force portante limite, **3 : 56**
force transversale, **3 : 28**
force verticale, **3 : 30**
foret, **3 : 198**
foreuse, **3 : 199**
foreuse-grue-tarière, **3 : 246**
*forme, **3 : 176**
fouille, **3 : 200**
fourche, **1 : 159**
fourche à logement de rotule, **4 : 152**
fourche à logement de rotule en C, **4 : 152**
fourche à logement de rotule en U, **4 : 152**
fourche à poteau, **3 : 240**
fourche de retenue, **4 : 153**
fourche de vérification (des isolateurs), **4 : 256**
*fourche porte-pince, **4 : 155**
fourche pour anneau, **4 : 154**
*fourche pour assemblage à rotule, **4 : 152**
fourche pour serre-fils d'isolateur, **4 : 155**
*fourche réglable pour isolateurs, **4 : 166**
*fourreau à outils, **4 : 199**
fourrure, **1 : 160**
frein, **3 : 268**
freineuse, **3 : 284**
freineuse à tambour(s), **3 : 284**
freineuse de type cabestan, **3 : 284**
freineuse-treuil, **3 : 285**
frottement, **3 : 57**
fût, **1 : 45, 161, 2 : 77, 120**

*Expression à éviter ou à déconseiller.

G

gâchée, 3 : 201
galet presse-câble, 3 : 286
galette, 2 : 158
galoche, 3 : 155
galop, 3 : 111
gant, 4 : 192
gant à trois doigts, 4 : 193
gant cuir, 4 : 194
gant de caoutchouc, 4 : 195
gant en cuir, 4 : 194
gant en cuir à trois doigts, 4 : 193
gant isolant, 4 : 195
gant isolant à trois doigts, 4 : 193, 195
garde-corps, 4 : 238
garde de hauban, 1 : 128
garde-mains, 4 : 156
garniture de câble, 2 : 78
garniture de protection, 2 : 79
garniture de réparation, 2 : 80
gel de silice, 4 : 257
genouillère, 2 : 170
genouillère, 4 : 88
genouillère à chape, 2 : 149
genouillère à oeil, 2 : 171
genouillère à rotule, 2 : 172
glaise, 3 : 50
godet rétro, 3 : 216
gorge, 2 : 121
goujon, 2 : 168
goulotte, 3 : 202
goupille, 2 : 169
goupilleur, 4 : 157
goupilleur-dégoupilleur, 4 : 158
goupilleur-dégoupilleur ordinaire, 4 : 158
goupilleur-dégoupilleur
    pour goupille à bosse, 4 : 158

---

*Expression à éviter ou à déconseiller.

gousset, 1 : 162
gouttière, 2 : 81
granulat, 3 : 203
gravier, 3 : 58, 203
gravier en sac, 3 : 212
gréage, 3 : 145
grenouille, 3 : 287
*griffe, 3 : 267
grille d'équipotentialité, 4 : 121
grimpette, 4 : 239
groupe de transformateurs, 1 : 135
grue, 3 : 241
grue à flèche télescopique, 3 : 238
grue à flèche treillis, 3 : 237
grue à tour, 3 : 242
grue à tour sur porteur tout terrain, 3 : 242
grue automotrice, 3 : 243
grue classique, 3 : 237
grue mobile, 3 : 244
grue sur camion, 3 : 245
grue sur chenilles, 3 : 243
grue sur pneus, 3 : 243
grue sur porteur, 3 : 245
grue-tarière, 3 : 246
grue-tarière équipée d'une nacelle, 3 : 282
grue télescopique, 3 : 238
guide d'enroulage, 4 : 252

*Expression à éviter ou à déconseiller.

H

harnais, **4 : 240**
harnais-ceinture, **4 : 240**
harnais de sécurité, **4 : 240**
hauban, **1 : 46, 163**
hauban à ancrage vertical, **1 : 47**
haubanage, **1 : 46, 163**
hauban parallèle, **1 : 48**
hauban perpendiculaire, **1 : 49**
*hauteur des conducteurs, **3 : 6**
housse pour outils, **4 : 10**
hypothèse de charge, **3 : 43**

*Expression à éviter ou à déconseiller.

I

identification, 1 : 50

imperméabilisant, 3 : 159

implantation, 1 : 85

implantation avec appuis latéraux, 1 : 86

implantation avec semelle, 1 : 87

implantation et ancre à vis, 1 : 88

induction électrique, 3 : 112

induction électrostatique, 3 : 112

induction magnétique, 3 : 113

injection, 3 : 205

installation de (mise à la) terre, 2 : 12

installation sur la roche, 1 : 89

*installation sur le roc avec type à coinçage, 1 : 107

isolant, 2 : 126, 4 : 11

isolateur, 2 : 122

isolateur à capot et tige, 2 : 132

isolateur à chape, 2 : 133

*isolateur à cheville, 2 : 142

isolateur à fût massif, 2 : 134

isolateur à fût plein, 2 : 134

*isolateur à fût synthétique, 2 : 137

isolateur à long fût, 2 : 134

isolateur antipollution, 2 : 135

isolateur à rotule, 2 : 136

*isolateur arrêt de hauban, 2 : 138

*isolateur-bobine, 2 : 139

isolateur composite, 2 : 137

isolateur d'ancrage, 2 : 131

*isolateur d'arrêt, 2 : 131

*isolateur de fin de course, 2 : 131

isolateur de hauban, 2 : 138

isolateur de suspension, 2 : 131

*isolateur du type fogbowl, 2 : 135

isolateur-poulie, 2 : 139

isolateur rigide, 2 : 140, 142

isolateur rigide à fil d'attache, 2 : 142

isolateur rigide à serre-fils, 2 : 142

isolateur rigide à socle, 2 : 141

isolateur rigide à tige, 2 : 142

isolateur suspendu, 2 : 131

*isolateur synthétique, 2 : 137

isolé, 4 : 12

*Expression à éviter ou à déconseiller.

J

*jambe, **1 : 169**
jambe de force, **1 : 42, 4 : 66**
jante, **3 : 318**
jauge pour conducteur, **4 : 159**
joint, **3 : 247**
*jointage, **3 : 288**
joint boulonné, **3 : 247**
joint bout à bout, **3 : 248**
joint de membrure, **3 : 247**
joint de pieu, **3 : 247**
*joint d'épissure, **3 : 247**
joint par couvre-joint, **3 : 248**
joint par emboîtement, **3 : 249**
joint par recouvrement, **3 : 250**
joint soudé, **3 : 247, 248**
joue, **3 : 318**
jumelles, **3 : 165**
jupe, **2 : 123**

*Expression à éviter ou à déconseiller.

L

lame tournante, 4 : 25, 160
lanterne, 2 : 82
levage, 3 : 251
levage à la grue, 3 : 252
levage à la perche, 3 : 253
levage à l'avancement, 3 : 254
levage à l'hélicoptère, 3 : 255
levage au mât, 3 : 256
levage mixte, 3 : 257
levage par ensembles, 3 : 258
levage par panneaux, 3 : 258
levage par pivotement, 3 : 259
levage par rotation, 3 : 259
lèvre, 4 : 179
*lien de retenue, 4 : 221
ligne, 1 : 16
ligne de distribution, 1 : 13
ligne de fuite, 2 : 124
ligne de répartition, 1 : 14
*ligne de terre, 1 : 53
ligne de transport, 1 : 15
ligne de trusquinage, 1 : 164
ligne électrique, 1 : 16
limite d'élasticité, 3 : 44
limite élastique, 3 : 44
limiteur de tension, 4 : 258
linguet, 3 : 153
lissage, 3 : 207
logement de rotule, 2 : 170
logement de rotule à oeil, 2 : 171
logement de rotule à rotule, 2 : 172
longe, 4 : 241
longueur de la portée, 3 : 85
lubrifiant, 4 : 13
*lubrifiant diélectrique en aérosol, 4 : 13
lubrifiant liquide, 4 : 13
*lubrifiant pour outils, 4 : 13
*lubrifiant pour pinces, 4 : 13
lubrifiant solide, 4 : 13
lunettes de protection, 4 : 196
lunettes masque de protection, 4 : 197
lustre, 4 : 14

*Expression à éviter ou à déconseiller.

mâchoire de fixation, **2 : 58**

mâchoire de palonnier, **4 : 75**

maillon, **2 : 173**

*maillon d'accouplement, **2 : 162**

*maillon d'ancrage, **2 : 174**

maillon en 8, **2 : 173**

maillon en 8 à 90°, **2 : 173**

maillon rapide, **4 : 242**

maillon verrouillable, **4 : 242**

main, **2 : 59**

*main, **2 : 58**

malaxage, **3 : 168**

manche isolé, **4 : 15**

*manches pour pinces, **4 : 15**

*manches pour presse hydraulique, **4 : 15**

manchette, **4 : 194**

*manchette en caoutchouc, **4 : 200**

manchon, **2 : 83, 87, 4 : 16**

manchon à anneau, **4 : 17**

manchon à chape double, **4 : 18**

*manchon à compresser, **2 : 84**

manchon à comprimer, **2 : 84**

*manchon à double chape, **4 : 18**

manchon à étau, **4 : 19**

*manchon à manille, **4 : 17**

manchon à pleine tension, **2 : 83**

manchon à tension réduite , **2 : 85**

*manchon compressible, **2 : 84**

*manchon compressible de cavalier, **2 : 73**

*manchon compressible de réparation, **2 : 72**

manchon comprimé, **2 : 84**

*manchon d'alignement, **2 : 87**

*manchon d'amarrage, **2 : 86**

manchon d'ancrage, **2 : 86**

*manchon d'arrêt, **2 : 86**

manchon de commande, **4 : 28**

manchon de jonction, **2 : 87**

manchon de positionnement de la main, **4 : 28**

*manchon de raccordement, **2 : 87**

manchon de raccordement pour échelles, **4 : 243**

manchon de surliure, **1 : 114**

*Expression à éviter ou à déconseiller.

*manchon double, **4 : 20***

manchon explosif, **2 : 88**

manchon isolé, **2 : 83**

manchonnage, **3 : 288**

manchon nu, **2 : 83**

manchon pour perche, **4 : 21**

manchon pour piquet de terre, **2 : 89**

manchon pour tirant d'ancrage, **4 : 22**

*manchon sans tension, **2 : 85**

mandrin, **4 : 161**

manille, **2 : 174**

*manille à boulet, **2 : 151**

*manille à chaîne, **2 : 174**

*manille à isolateur-bobine, **2 : 175**

*manille à rotule, **2 : 149**

*manille basse tension, **2 : 175**

*manille d'ancrage, **2 : 174**

manille droite, **2 : 174**

*manille-écrou, **2 : 161**

manille ordinaire, **2 : 174**

manille pour isolateur de hauban, **2 : 174**

manille pour isolateur-poulie, **2 : 175**

*manille secondaire, **2 : 175**

marécage, **3 : 59**

marquage, **1 : 51**

marteau, **4 : 162**

marteau de battage, **3 : 213**

marteau perforateur, **3 : 208**

massif, **1 : 226**

mât, **4 : 67**

mât bipode, **4 : 68**

mât de battage, **3 : 209**

mât de levage, **3 : 260, 4 : 69**

*mât de levage à pivot
    pour chaîne d'isolateurs, **4 : 69**

*mât de levage à pivot pour transformateur, **4 : 69**

mât de levage pivotant
    pour chaîne d'isolateurs, **4 : 62, 69**

mât de levage pivotant pour transformateur, **4 : 69**

mât de levage pour transformateur, **4 : 69**

*Expression à éviter ou à déconseiller.

*matériau, **3 : 143***
*matériau de déblai, **3 : 143***
*matériau d'emprunt, **3 : 143***
*matériau de remblai, **3 : 143***
matériel, **3 : 143*
*matériel de ligne, **3 : 144***
mât pour traverse auxiliaire, **4 : 67*
*matrice, **4 : 112***
*mèche de sûreté, **3 : 185***
*membrure, **1 : 165***
*membrure principale, **1 : 166***
membrure redondante, **1 : 180*
*membrure secondaire, **1 : 167***
*mentonnière, **4 : 185***
méplat, **2 : 183*
*mesurage, **3 : 291***
*mesurage à mi-portée, **3 : 289***
*mesurage au point bas, **3 : 290***
*mesurage de la flèche, **3 : 291***
*mesure, **3 : 291***
*mesureur de champ, **4 : 259***
méthode aux gants de caoutchouc, **4 : 264*
méthode avec outils vivitechniques, **4 : 263*
méthode contact, **4 : 264*
méthode de la flèche au niveau, **3 : 290*
méthode de la planche, **3 : 289*
*minage, **3 : 185***
*miroir, **4 : 163***
mise à la terre à poulies, **4 : 117*
*mise à la terre mobile, **4 : 117***
mise en flèche, **3 : 313*
*mise en oeuvre, **3 : 210***
mise en pince, **3 : 292*
*mise en place, **3 : 210***
*mise en tension (mécanique), **3 : 211***
*mise sur pince, **3 : 292***
*mise sur pince décalée, **3 : 293***
mitaine, **4 : 198*
*moment de flexion, **3 : 36***
*moment d'encastrement, **3 : 60***
*moment de renversement, **3 : 61***
*moment de torsion, **3 : 36***

*Expression à éviter ou à déconseiller.

montage, *3 : 251*

montage à la grue, *3 : 252*

montage à l'avancement, *3 : 254*

montage à l'hélicoptère, *3 : 255*

montage au mât, *3 : 256*

montage d'appareils de levage, *3 : 145*

*montage en cerf-volant, *4 : 262*

montage en mât, *4 : 261*

montage en triangulation, *4 : 262*

montage mixte, *3 : 257*

montage par ensembles, *3 : 258*

montage par pivotement, *3 : 259*

montage par rotation, *3 : 259*

montant, *1 : 166*

monte-charge, *4 : 122*

monte-charge pour faisceau quadruple, *4 : 122*

monte-charge pour plaques de chaînette, *4 : 122*

mortier en sac, *3 : 212*

mort-terrain, *3 : 62*

mouflage, *3 : 148*

moufle, *3 : 146, 4 : 198*

moufle fixe, *3 : 148*

moufle mobile, *3 : 148*

mousqueton de sûreté, *4 : 244*

mousqueton verrouillable, *4 : 244*

mousse, *4 : 23*

mouton, *3 : 165, 213*

*Expression à éviter ou à déconseiller.

N

nacelle, **3 : 280, 294, 4 : 236**
nacelle automotrice, **3 : 296, 4 : 245**
nacelle-cage, **3 : 295**
nacelle d'élévateur, **3 : 294**
nacelle motorisée, **3 : 296, 4 : 245**
nacelle non motorisée, **3 : 296, 4 : 245**
nacelle suspendue, **3 : 294, 296, 4 : 245**
nappe isolante, **4 : 177**
*nappe isolante fendue, **4 : 177**
nécessaire de réparation (pour perche), **4 : 24**
neutre, **2 : 30**
neutre commun, **2 : 30**
neutre porteur, **2 : 35**
*nid d'abeilles, **3 : 214**
nid de cailloux, **3 : 214**
nid de graviers, **3 : 214**
nivellette, **3 : 297**
noeud, **1 : 168**
noix, **4 : 88**
noyau, **2 : 137**

*Expression à éviter ou à déconseiller.

O

---

*Expression à éviter ou à déconseiller.

P

paire de moufles, 3 : 148
palan, 3 : 147
palan à corde, 3 : 148
palan à courroie, 3 : 149
palan à levier, 3 : 150
palan à levier à chaîne, 3 : 150
palan à levier à courroie, 3 : 150
palonnier, 2 : 176, 4 : 76
palonnier à deux tirants, 4 : 77
palonnier à un tirant, 4 : 78
palonnier d'ancrage, 2 : 176
palonnier de déroulage, 3 : 298
palonnier de suspension, 2 : 176
*palonnier de suspension, 4 : 126
palonnier de tirage, 3 : 298
*palonnier double, 4 : 77
palonnier-outil, 4 : 76
palonnier pour console, 4 : 79
palonnier pour manchon
    d'ancrage à comprimer, 4 : 80
palonnier pour pylône, 4 : 81
*palonnier simple, 4 : 78
*palplanchage, 3 : 171
palplanche, 3 : 171
pancarte de danger, 1 : 115
*pancarte de présence de tension électrique, 1 : 116
pancarte de risque électrique, 1 : 116
pancarte d'interdiction de monter
    sur les supports, 1 : 117
*panier, 3 : 294
panneau-balise, 1 : 240
*panneau-louvre, 1 : 240
paramètre, 3 : 82
paramètre de la chaînette, 3 : 82
paramètre de pose, 3 : 82
paramètre de réglage, 3 : 82
paramètre de répartition, 3 : 82
paramètre du conducteur, 3 : 82
*pare-effluve(s), 2 : 144
partie isolante, 2 : 126
pas, 2 : 127
pas de câblage, 2 : 7

---

*Expression à éviter ou à déconseiller.

passant, *4 : 219*
passerelle, *4 : 133*
*patte, *1 : 169*
patte, *4 : 107*
pelle-curette, *3 : 215*
pelle hydraulique, *3 : 216*
perche, *4 : 39*
perche à attaches, *4 : 25*
perche à burette, *4 : 35*
perche à conducteur, *4 : 26*
perche à connecteur de (mise à la) terre, *4 : 27*
perche à crochet, *4 : 28*
perche à crochet de mise au potentiel, *4 : 143*
perche à crochet porte-anneau, *4 : 29*
*perche à douille de sécurité, *4 : 29*
perche à embout(s) universel(s), *4 : 30*
perche à étau, *4 : 31*
perche à étau à tête fixe, *4 : 31*
perche à étau à tête orientable, *4 : 31*
*perche à fourche de manutention
    de chaîne d'isolateurs, *4 : 33*
*perche à huilier, *4 : 35*
*perche à lame et à crochet tournants
    pour attache, *4 : 25*
perche à main, *4 : 32*
perche à mesurer télescopique, *4 : 40*
*perche à pince de mise à la terre en C, *4 : 27*
perche à plateau, *4 : 33*
perche à poteau, *3 : 261*
perche à presse à manchonner, *4 : 34*
perche à presse à manchonner hydraulique, *4 : 34*
perche à presse à manchonner mécanique, *4 : 34*
perche-burette, *4 : 35*
perche-cisaille (coupe-câble), *4 : 36*
perche-cisaille (coupe-câble) hydraulique, *4 : 36*
perche-cisaille (coupe-câble) mécanique, *4 : 36*
perche d'écartement, *4 : 262*
perche de maintien, *4 : 37*
perche de manoeuvre, *4 : 38*
*perche de mise à la terre, *4 : 28*

*Expression à éviter ou à déconseiller.

*perche de mise à la terre avec pince en C, **4 : 27**
*perche de rallonge, **4 : 46**
*perche de rechange, **4 : 60**
*perche de sectionnement, **4 : 38**
 perche de travail, **4 : 39**
 perche isolante, **4 : 39**
 perche-jauge télescopique, **4 : 40**
 perche porte-douille à angle variable, **4 : 41**
 perche porte-douille à cardan, **4 : 42**
*perche porte-douille à ressort, **4 : 42**
*perche porte-douille à rotule, **4 : 41**
 perche porte-pince ampèremétrique, **4 : 43**
*perche pour bretelle, **4 : 31**
 perche-support, **4 : 262**
 perche télescopique, **4 : 44**
 perche télescopique de mesure, **4 : 40**
 perchette, **4 : 252**
*perche universelle, **4 : 30**
*perchoir, **4 : 104**
 perforation, **3 : 116**
 perturbation radioélectrique, **3 : 117**
*perturbation radiophonique, **3 : 117**
*pesée, **2 : 158**
 petit matériel, **3 : 144**
*pièce d'accouplement pour genouillère, **4 : 89**
 pièce d'accouplement pour noix, **4 : 89**
 pièce de garde, **2 : 177**
 pièce métallique, **2 : 128**
 pièces de conducteurs, **2 : 38**
 pièces d'isolateurs, **2 : 143**
 pied, **1 : 52, 169, 4 : 45**
 pied de flèche, **3 : 237**
 pied de perche, **4 : 45**
 pied-de-roi, **4 : 172**
 pied dissymétrique, **1 : 176**
 pierre, **3 : 203**
 pierre broyée, **3 : 58**
 pierre concassée, **3 : 58**
 pieu, **1 : 227**
 pilonnage, **3 : 177**
 pilonneuse, **3 : 217**

*Expression à éviter ou à déconseiller.

*pince à câbles jumelés, **2** : **102**
*pince à double mâchoire, **4** : **116**
 pince à échappement, **2** : **90**
 pince à étau, **4** : **165**
 pince à glissement, **2** : **90**
*pince à gorges parallèles, **2** : **102**
 pince à isolateur, **4** : **166**
 pince à porter les poteaux, **3** : **262**
 pince à poteau, **3** : **246**
 pince arrache-fusible articulée, **4** : **167**
 pince court-circuitrice, **4** : **123**
 pince d'alignement, **2** : **93**
*pince d'amarrage, **2** : **91**
 pince d'ancrage, **2** : **91**
 pince d'ancrage droite, **2** : **91**
 pince d'ancrage pour branchement, **2** : **92**
*pince d'arrêt, **2** : **91**
*pince de branchement, **2** : **70**
 pince de fixation, **2** : **58**
*pince de mise à la terre à ressort avec vis
      à oeil, **4** : **115**
*pince de mise à la terre en C, **4** : **113**
*pince de mise à la terre en C avec vis à oeil, **4** : **113**
*pince de mise à la terre orientable, **4** : **114**
 pince de retenue pour fil d'attache, **4** : **168**
*pince de service, **2** : **92**
 pince de suspension, **2** : **93**
 pince de suspension à glissement contrôlé, **2** : **90**
 pince de suspension angulaire, **2** : **93**
 pince de suspension oscillante, **2** : **93**
 pince de tirage, **3** : **299**
 pince de tirage à coins, **3** : **300**
*pince d'extraction, **4** : **111**
 pince oscillante, **2**: **93**
 pince pour nappe isolante, **4** : **178**
 pince universelle, **4** : **114**
 piquet de (prise de) terre, **2** : **94**
 piquet de (prise de) terre à vrille, **4** : **124**
 pistolet de raccordement, **4** : **125**
 plage, **2** : **95**

*Expression à éviter ou à déconseiller.

*plage de dérivation, **2 : 95***
planche, **3 : 297*
*plan d'encastrement, **1 : 53***
*plan et profil, **3 : 83***
*plaque à crampons, **1 : 118***
plaque d'accouplement, **3 : 180*
*plaque d'accrochage pour câble de garde, **4 : 126***
*plaque d'ancrage, **1 : 76***
*plaque d'ancrage pour chaîne multiple, **4 : 127***
*plaque d'appui, **1 : 133***
plaque de hauban, **1 : 119*
plaque dentelée, **1 : 118*
*plaque de protection, **1 : 119***
plaque de raccordement, **2 : 178*
*plaque de repérage, **1 : 120***
*plaque d'identification, **1 : 121***
*plaque intermédiaire, **1 : 122***
plaque pour support de transformateur, **1 : 122*
*plaque support de cabestan
    *pour pylône tubulaire, **4 : 96***
*plaque support pour échelle, **4 : 246***
*plaquette à griffes, **2 : 184***
*plaquette carrée, **1 : 123***
*plaquette cintrée, **1 : 124***
*plaque vibrante, **3 : 218***
*plastifiant, **3 : 159***
*plateau à isolateurs, **3 : 301***
*plateforme, **4 : 247***
*plate-forme, **4 : 247***
*point bas, **3 : 84***
*point de transbordement, **3 : 151***
*pointe de pénétration, **2 : 94***
*porte-axe, **4 : 169***
*porte-berceau, **4 : 128***
*porte-boulon, **4 : 169***
*porte-bras d'armement auxiliaire, **4 : 70***
*porte-coin, **4 : 129***
*porte-conducteur, **4 : 71***
*porte-conducteur à rouleaux, **4 : 72***
*porte-douille à cardan, **4 : 170***
porte-douille à ressort, **4 : 170*

*Expression à éviter ou à déconseiller.

portée, **3 : 85**
*portée de mesurage, **3 : 302**
portée de niveau, **3 : 86**
portée dénivelée, **3 : 87**
portée de réglage, **3 : 302**
*portée déterminante, **3 : 88**
portée équivalente, **3 : 88**
portée poids, **3 : 89**
portée sèche, **3 : 90**
portée vent, **3 : 91**
porte-manille, **4 : 82**
porte-outil, **4 : 130**
porte-outils, **4 : 199**
porte-pince à étau, **4 : 171**
porte-règle pliante, **4 : 172**
porte-serre-fils d'isolateur, **4 : 173**
*porte-traverse auxiliaire, **4 : 70**
porteur à chenilles, **3 : 152**
porteur tout terrain, **3 : 152**
portique, **1 : 17**
portique à treillis, **1 : 17**
portique de sectionnement, **1 : 18**
portique en béton, **1 : 17**
portique en bois, **1 : 17**
portique en H, **1 : 17**
portique Gulf Port, **1 : 17**
portique haubané, **1 : 17**
poste dérouleur, **3 : 303**
poste tracteur, **3 : 304**
poteau, **1 : 19**
*poteau à aspect visuel amélioré, **1 : 214**
poteau à deux ternes, **1 : 59**
poteau à treillis, **1 : 19**
poteau à un terne, **1 : 60**
*poteau AVA, **1 : 214**
poteau biterne, **1 : 59**
poteau commun, **1 : 61**
poteau contrefiché, **1 : 42**
poteau d'alignement, **1 : 62**
poteau d'ancrage, **1 : 63**

*Expression à éviter ou à déconseiller.

*poteau d'angle, **1 : 64***
*poteau d'angle léger, **1 : 65***
*poteau d'angle souple, **1 : 65***
*poteau d'arrêt, **1 : 66***
*poteau de branchement, **1 : 67***
poteau de câble, **1 : 70*
*poteau d'éclairage public, **1 : 68***
*poteau de haubanage, **1 : 69***
*poteau de liaison aérosouterraine, **1 : 70***
poteau de service, **1 : 67*
*poteau en béton, **1 : 71***
*poteau en bois, **1 : 72***
*poteau en métal, **1 : 19***
*poteau haubané, **1 : 73***
*poteau mixte, **1 : 61***
*poteau monoterne, **1 : 60***
poteau terminal, **1 : 70*
potentiel de pas, **3 : 123*
potentiel de touche, **3 : 122*
*poulie, **2 : 139, 3 : 153***
poulie basculante, **3 : 306*
*poulie coupée, **3 : 155***
*poulie de déroulage, **3 : 305***
*poulie de déroulage avec étau de terre
*à poulies, **4 : 117***
*poulie de renvoi, **3 : 154***
*poulie de retenue, **3 : 306***
*poulie double, **3 : 153***
*poulie ouvrante, **3 : 155***
*poulie pour perche, **4 : 63, 73***
*poulie simple, **3 : 153***
*poupée, **3 : 307***
*pousse-goupille, **4 : 158***
*poutre, **1 : 170***
*précâblette, **3 : 266***
*préréglage, **3 : 308***
presse à joint, **3 : 309*
*presse à manchonner, **3 : 309***
*presse à manchonner hydraulique, **3 : 309***
*presse à manchonner mécanique, **3 : 309***
*presse hydraulique (avec tête en C
*et manches courts), **4 : 34***

*Expression à éviter ou à déconseiller.

*presse mécanique manuelle à levier, **4 : 34**
pression, **3 : 45**
*prise de manille, **4 : 82**
prise de terre, **2 : 96**
profil dans le plan diagonal du support, **3 : 92**
profilé, **1 : 171**
profilé H, **1 : 172**
profilé I, **1 : 173**
profil en long, **3 : 93**
profilé T, **1 : 174**
profilé U, **1 : 175**
profil longitudinal, **3 : 93**
profil parallèle, **3 : 94**
protecteur, **4 : 183**
protecteur de conducteur, **4 : 179**
protecteur de poteau, **4 : 180**
protecteur de traverse, **4 : 181**
protecteur d'isolateur, **4 : 182**
*protecteur flexible, **4 : 183**
protecteur isolant, **4 : 183**
protecteur rigide, **4 : 179, 182**
protecteur souple, **4 : 179, 182**
protection aérienne, **3 : 310**
protection mécanique, **1 : 125**
protège-bras isolant, **4 : 200**
protège-câble, **1 : 126**
protège-conducteur de (mise à la) terre, **1 : 127**
*protège-gant, **4 : 207**
protège-hauban, **1 : 128**
pylône, **1 : 20**
*pylône à aspect visuel amélioré, **1 : 214**
pylône à chaînette, **1 : 189**
pylône à deux ternes, **1 : 190**
pylône américain, **1 : 208**
*pylône anti-cascade, **1 : 191**
pylône anti-chute en cascade, **1 : 191**
pylône à treillis, **1 : 20**
pylône à un terne, **1 : 192**
*pylône AVA, **1 : 214**

*Expression à éviter ou à déconseiller.

pylône bipode, 1 : 193
pylône biterne, 1 : 190
pylône classique, 1 : 194
pylône d'alignement, 1 : 195
pylône d'ancrage, 1 : 196
pylône d'ancrage triple, 1 : 197
pylône d'angle, 1 : 198
pylône de boucle, 1 : 199
pylône de dérivation, 1 : 200
pylône de permutation, 1 : 201
pylône de rotation, 1 : 201
pylône de transposition, 1 : 201
pylône de traversée, 1 : 202
pylône diapason, 1 : 203
pylône en A, 1 : 204
pylône en treillis, 1 : 20
pylône en V, 1 : 205
pylône en Y, 1 : 206
pylône haubané, 1 : 207
pylône Mae West, 1 : 208
pylône métallique, 1 : 209
pylône monopode, 1 : 210
pylône monoterne, 1 : 192
pylône muguet, 1 : 214
pylône multiterne, 1 : 211
pylône nappe, 1 : 208
pylône rigide, 1 : 212
pylône sapin, 1 : 207
pylône tétrapode, 1 : 213
pylône tubulaire, 1 : 214

*Expression à éviter ou à déconseiller.

R

raccord, *2 : 97*

raccord culot, *1 : 243*

raccord de câblette, *3 : 311*

raccord de dérivation, *2 : 67*

*raccord de dérivation en T, *2 : 71*

*raccord de jonction, *2 : 87*

*raccordement type coin, *1 : 243*

*raccordement type manchon, *1 : 244*

*raccord fileté pour perche, *4 : 8*

raccord manchon, *1 : 244*

raccord pour conducteur de terre, *2 : 98*

raccord pour neutre, *2 : 99*

raccord pour piquet de terre, *2 : 100*

rainure, *2 : 125*

rallonge, *2 : 178*

*rallonge-composante, *1 : 188*

*rallonge d'ancre pour roc, *1 : 129*

rallonge de chaîne, *4 : 90*

rallonge d'échelle, *4 : 248*

rallonge de pied, *1 : 176*

rallonge de selle, *4 : 91*

rallonge de tige (d'ancrage), *1 : 129*

rallonge pour perche, *4 : 46*

rallonge pour perche à crochet, *4 : 47*

rambarde d'assujettissement, *4 : 238*

rapport de câblage, *2 : 8*

râtelier pour perches, *4 : 48*

réa, *3 : 153, 156, 4 : 73*

recépage, *3 : 162*

réenrouleur, *3 : 312*

refus, *3 : 219*

régalage, *3 : 220*

réglage, *3 : 313*

réglage pied par pied, *3 : 221*

relevage des câbles, *3 : 308*

remblai, *3 : 222*

remblayage, *3 : 222*

*Expression à éviter ou à déconseiller.

remorque dérouleuse, **3 : 314**
remorque porte-touret(s), **3 : 314**
repose-pieds, **4 : 250**
*repoussoir à décharge, **4 : 125**
résistance au cisaillement, **3 : 63**
résistance en pointe (d'un pieu), **3 : 64**
résistance par frottement latéral (d'un pieu), **3 : 65**
retardateur de prise, **3 : 159**
ringot, **3 : 153**
*roc, **3 : 66**
roche, **3 : 66**
rondelle, **1 : 130**
*rondelle carrée, **1 : 123**
*rondelle cintrée, **1 : 124**
rondelle de blocage, **1 : 131**
*rondelle équarrie, **1 : 123**
rondelle-frein, **1 : 131**
rondelle Grower, **1 : 131**
rondelle-ressort, **1 : 131**
rotule, **2 : 179**
rotule à oeil, **2 : 180**
*rotule à rotule, **2 : 181**
rotule double, **2 : 181**
rouleau vibrant, **3 : 223**
roulis, **3 : 118**
ruban métallique, **1 : 132**
*ruban tressé, **4 : 135**

*Expression à éviter ou à déconseiller.

S

sable, *3 : 67, 203*

sable en sac, *3 : 212*

sable fin, *3 : 67*

sable grossier, *3 : 67*

sablière, *3 : 134*

sabot, *2 : 101, 3 : 224*

sac à boulons, *4 : 201*

sac à outils, *4 : 202*

sac de monteur, *4 : 203*

sac de protection pour gants isolants, *4 : 204*

salopette, *4 : 205*

sangle, *3 : 139*

*sangle, *1 : 102*

sangles cuissardes, *4 : 249*

sanglon, *4 : 219*

scellement, *2 : 129*

schiste expansé, *3 : 203*

*scie à élaguer, *4 : 175*

scie à métaux, *4 : 174*

scie d'élagage, *4 : 175*

*scie d'émondage, *4 : 175*

*section, *3 : 317*

section de déroulage, *3 : 315*

section de tirage, *3 : 316*

selle, *4 : 92*

selle à anneaux, *4 : 93*

*selle à anneaux pour corde, *4 : 93*

*selle à anneaux pour cordes et outils, *4 : 93*

selle à levier, *4 : 94*

*selle à pivot pour poteau, *4 : 98*

*selle à pivot pour pylône, *4 : 98*

selle pivotante pour plate-forme, *4 : 98*

*selle pour bitte d'assurance, *4 : 95*

selle pour bitte double, *4 : 95*

*selle pour conducteur, *4 : 97*

selle pour console, *4 : 101*

selle pour console de cabestan, *4 : 96*

selle pour croisillons de pylône, *4 : 101*

selle pour palonnier, *4 : 97*

selle pour plate-forme, *4 : 98*

selle pour poteau, *4 : 99*

*Expression à éviter ou à déconseiller.

*selle pour poteau (plate-forme), **4 : 98**
selle pour pylône, **4 : 100**
*selle pour pylône (plate-forme), **4 : 98**
selle pour traverse, **4 : 101**
semelle, **1 : 133**
sens de câblage, **2 : 9**
serpentement, **3 : 119**
serre-câble, **1 : 134**
serre-fils, **2 : 102**
*serre-fils de tête, **2 : 103**
serre-fils pour conducteur de terre, **2 : 98**
serre-fils pour isolateur, **2 : 103**
serre-tête, **4 : 206**
shunt, **2 : 33, 4 : 131**
siège, **4 : 250**
*siège, **2 : 81**
silhouette, **1 : 177**
sollicitation, **3 : 36**
solvant de nettoyage, **4 : 49**
*solvant pour nettoyer les perches, **4 : 49**
sommet, **1 : 54**
sonnette, **3 : 209**
soulèvement, **3 : 68**
*sous-canton de déroulage, **3 : 315**
*sous-canton de mise en flèche, **3 : 317**
sous-canton de réglage, **3 : 317**
sous-conducteur, **2 : 36**
*sous-dépôt, **3 : 151**
sous-portée, **3 : 95**
stabilisateur, **3 : 280, 4 : 236**
*stop-chute, **4 : 215**
*suce de tirage, **3 : 267**
support, **1 : 21**
support à deux ternes, **1 : 22**
support à double terne, **1 : 22**
support à rouleaux (pour mât de levage), **4 : 74**
support à simple terne, **1 : 23**
support à terne multiple, **1 : 38**
support à un terne, **1 : 23**
support biterne, **1 : 22**
support commun, **1 : 24**
support d'alignement, **1 : 25**

*Expression à éviter ou à déconseiller.

*support d'ancrage, **1 : 26***
*support d'angle, **1 : 27***
*support d'angle léger, **1 : 28***
*support d'angle souple, **1 : 28***
*support d'arrêt, **1 : 29***
*support de boucle, **1 : 30***
support de clavette, **4 : 129*
*support de dérivation, **1 : 31***
support de fin de course, **1 : 29*
*support de fixation pour transformateurs, **1 : 135***
support de ligne, **1 : 25*
*support de permutation, **1 : 32***
support de pince-étau, **4 : 171*
*support de raccordement sur portée, **2 : 104***
*support de rotation, **1 : 32***
*support de transposition, **1 : 32***
*support de traverse, **1 : 91***
*support de traverse à rouleaux, **4 : 132***
*support de traversée, **1 : 33***
*support en béton, **1 : 34***
*support en bois, **1 : 35***
support en C, **4 : 120*
*support haubané, **1 : 36***
support isolateur en fibre de verre, **2 : 155*
support latéral de pince de mise à la terre, **4 : 104*
*support métallique, **1 : 37***
*support mixte, **1 : 24***
*support monoterne, **1 : 23***
*support multiterne, **1 : 38***
*support porte-tube, **4 : 125***
*support pour échelle, **4 : 251***
support pour mât de levage, **4 : 66*
*support rigide, **1 : 39***
support secondaire, **2 : 165*
*surgant, **4 : 207***
*surtension, **3 : 120***

*Expression à éviter ou à déconseiller.

*tablier de tirage, **3 : 298**

talon, **4 : 50**

talon "balle de golf", **4 : 50**

talon ordinaire, **4 : 50**

tambour, **3 : 318**

tapis isolant, **4 : 133**

taquet, **4 : 98**

tarière, **3 : 225**

tassement, **3 : 69**

tassement différentiel, **3 : 70**

température d'exploitation, **3 : 46**

tendeur, **2 : 105, 4 : 112**

tendeur à chape à oeil, **2 : 105**

tendeur à chape double, **2 : 105**

tendeur à lanterne, **2 : 105**

tendeur à oeil double, **2 : 105**

tendeur à rochet, **4 : 134**

*tendeur à vis, **2 : 105**

*tendeur de charge à rochet, **4 : 134**

tendeur-outil, **4 : 112**

tenon, **2 : 183**

tension, **3 : 47, 124**

tension composée (d'un réseau triphasé), **3 : 121**

tension de contact, **3 : 122**

*tension de neutre, **3 : 126**

tension de pas, **3 : 123**

*tension de touche, **3 : 122**

tension électrique, **3 : 124**

tension finale, **3 : 96**

tension initiale, **3 : 97**

tension mécanique, **3 : 47**

tensionnage, **3 : 211**

tensionnement, **3 : 211**

*tension parasite, **3 : 126**

tension phase-phase, **3 : 121**

tension phase-terre, **3 : 125**

tension simple (d'un réseau triphasé), **3 : 126**

*terminaison modulaire, **2 : 66**

terne, **1 : 40**

*Expression à éviter ou à déconseiller.

terre, *3 : 71*
terre glaise, *3 : 50*
tête, *1 : 54, 178*
*tête de câble, *2 : 66*
tête de flèche, *3 : 237*
tête de perche, *4 : 51*
téton, *2 : 179*
tige, *2 : 130, 184, 4 : 52*
tige à rotule, *2 : 130*
tige à tenon, *2 : 130*
tige d'ancrage, *1 : 90*
tige de console, *2 : 185*
tige de forage, *3 : 226*
*tige de mise à la terre, *2 : 94*
tige de poteau, *2 : 186*
*tige de rallonge, *1 : 129, 2 : 178*
*tige de terre, *2 : 94*
tige de tête de poteau, *2 : 187*
tige de traverse, *2 : 188*
*tige préfaçonnée, *2 : 78*
*tige préformée, *2 : 78*
tir à la mèche, *3 : 185*
tirant, *1 : 55, 4 : 53*
tirant à broches, *4 : 58*
tirant à crochet queue de cochon, *4 : 54*
tirant à émerillons, *4 : 55*
tirant à étau, *4 : 56*
tirant à queue de cochon, *4 : 54*
tirant à rouleau, *4 : 57*
*tirant à spirale, *4 : 54*
tirant d'ancrage, *4 : 58*
tirefond, *1 : 136*
tire-fond, *1 : 136*
tirfor, *3 : 320*
*tir non électrique, *3 : 185*
toile, *4 : 1*
toron, *2 : 10*
torsade de conducteurs, *2 : 37*
torsade double, *2 : 37*
torsade quadruple, *2 : 37*
torsade triple, *2 : 37*

*Expression à éviter ou à déconseiller.

*torsion, **3 : 48***
touche, **4 : 252**
*tour, **1 : 20***
tourbière, **3 : 72**
tourelle, **3 : 280, 4 : 236**
touret, **3 : 318**
tourillon, **2 : 106, 4 : 83**
tourne-bille, **3 : 263**
tournevis, **4 : 176**
*tourniquet, **2 : 105***
tracé, **3 : 98**
tracteur, **3 : 157**
tracteur à chenilles, **3 : 157**
traction, **3 : 49**
train de tiges, **3 : 226**
traitement (d'un poteau), **1 : 56**
tranche guidée, **3 : 319**
*transporteur, **3 : 152***
travail à distance, **4 : 263**
*travail à mains nues, **4 : 265***
travail au contact, **4 : 264**
travail au potentiel, **4 : 265**
travail au potentiel intermédiaire, **4 : 266**
travail hors tension, **4 : 267**
travail sous tension, **4 : 268**
*travail sur le mort, **4 : 267***
*travail sur le vivant, **4 : 268***
*travail vivitechnique, **4 : 268***
traverse, **1 : 57, 179**
*traverse auxiliaire, **4 : 61***
traversée, **1 : 41**
traverse en porte à faux, **1 : 58**
treillis, **1 : 181**
treillis de contreflambage, **1 : 180**
treillis double, **1 : 182**
treillis double avec treillis
    de contreflambage, **1 : 183**
treillis double en tension, **1 : 184**
treillis en K, **1 : 185**

*Expression à éviter ou à déconseiller.

treillis en losange, *1 : 183*
*treillis métallique, *4 : 121*
treillis simple, *1 : 186*
*trémie, *3 : 229*
trépan, *3 : 227*
trépied d'assujettissement, *4 : 238*
tresse, *4 : 135*
treuil, *3 : 158, 241*
treuil à mâchoires, *3 : 320*
treuil à tambour(s), *3 : 323*
treuil de câblette guide, *3 : 321*
treuil de déroulage, *3 : 322*
treuil de déroulage à tambour(s), *3 : 323*
treuil de déroulage de type cabestan, *3 : 324*
treuil de type cabestan, *3 : 324*
triangulation, *1 : 181*
triangulation double, *1 : 182*
triangulation double avec treillis
    de contreflambage, *1 : 183*
triangulation double classique, *1 : 182*
triangulation double en tension, *1 : 184*
triangulation en K, *1 : 185*
triangulation en losange, *1 : 183*
triangulation simple, *1 : 186*
*triplex, *2 : 37*
tronçon, *1 : 187*
tronçon de fût, *1 : 188*
tronçon de rallonge, *1 : 188*
trousse de premiers secours, *4 : 208*
*trousse de premiers soins, *4 : 208*
trousse de sauvetage, *4 : 209*
trousse de secours, *4 : 208*
trousse de survie, *4 : 210*
tubage, *3 : 228*
tube, *2 : 71, 3 : 165, 4 : 59*
tube de rechange, *4 : 60*
tube plongeur, *3 : 229*
tuteur, *1 : 137*

U

usage en commun, *1 : 61*
usine de béton, 3 : 173
usine de coulis, 3 : 173

V

vé d'allongement, *1 : 138*
vé de suspension, *1 : 138*
vérificateur à signal acoustique, *4 : 260*
vérificateur de perche, 4 : 255
vérificateur sonore, 4 : 260
vermiculite exfoliée, *3 : 203*
verrou, *4 : 179*
vêtement conducteur, *4 : 211*
vêtement thermo, *4 : 212*
vibrateur à béton, *3 : 161*
vibration de pluie, *3 : 127*
vibration éolienne, *3 : 128*
vibration par effet (de) couronne, *3 : 129*
vibro-fonçage, *3 : 191*
vis (de boulon), *1 : 139*
vis de culasse à engrenage, *4 : 125*
vis de culasse ordinaire, *4 : 125*
visée diagonale, 3 : 92
vivitechnique, 4 : 11
voilement, *3 : 40*
voltage, 3 : 124
voltmètre, *4 : 252*

*Expression à éviter ou à déconseiller.

Index des termes anglais

A

accessory, **2 : 38, 143**
additive, **3 :159**
adjustable head wire-holding stick, **4 : 31**
adjustable hook assembly, **4 : 19**
adjustable insulator fork, **4 : 166**
adjustable ladder hook, **4 : 227**
adjustable pole clamp, **4 : 22**
adjustable strain stick, **4 : 58**
admixture, **3 : 159**
aerial device, **3 : 294**
aggregate, **3 : 203**
aircraft warning marker, **2 : 64**
aircraft warning marker, cone type, **2 : 63**
aircraft warning marker, ring type, **2 : 62**
aircraft warning marker, sphere type, **2 : 65**
air drilling, **3 : 193**
alignment, **3 : 131**
all-aluminum alloy conductor (AAAC), **2 : 17**
all-aluminum conductor (AAC), **2 : 19**
all-angle cog wrench, **4 : 41**
all-angle grounding clamp, **4 : 114**
alley(-arm) construction, **1 : 8**
all-(name of material) conductor, **2 : 28**
allowable bearing capacity, **3 : 55**
all-purpose cotter-key tool, **4 : 158**
all-terrain transporter, **3 : 152**
aluminum alloy conductor,
    steel reinforced (AACSR), **2 : 18**
aluminum conductor, steel-reinforced (ACSR), **2 : 20**
alumoweld-aluminum conductor, **2 : 22**
alumoweld conductor, **2 : 21**
amertong, **4 : 43**
ampacity, **3 : 105**
Ampact tool, **4 : 125**
anchor, **1 : 74, 215**
anchor clamp, **2 : 91**
anchoring pole, **1 : 69**
anchor loading test, **3 : 190**
anchor log, **1 : 75**

anchor plate, *1 : 76*
anchor pulling test, *3 : 190*
anchor rod, *1 : 90*
anchor rod extension, *1 : 129*
anchor structure, *1 : 26*
anchor test bench, *3 : 163*
angle cog-wrench stick, *4 : 41*
angle (iron), *1 : 148*
angle of internal friction, *3 : 57*
angle of protection, *3 : 2*
angle of shade, *3 : 2*
angle pulley, *3 : 154*
angle structure, *1 : 26, 27*
anorak, *4 : 184*
anti-cascading tower, *1 : 191*
anti-fall grip, *4 : 214*
anti-fog insulator, *2 : 135*
arbor adapter, *4 : 85*
arcing horn, *2 : 159*
arcing ring, *2 : 144*
arcing shield, *2 : 144*
arm, *2 : 51*
armor rods, *2 : 79*
articulation, *2 : 49*
A set, *2 : 114*
assembly, *3 : 231*
assembly area, *3 : 230*
A string, *2 : 114*
asymmetrical glaze loading, *3 : 25*
asymmetrical rime loading, *3 : 17*
A tower, *1 : 204*
attachment, *3 : 142*
audible noise, *3 : 99*
auger, *3 : 225*
auger crane, *3 : 246*
auxiliary arm, *4 : 61*
auxiliary-arm mast, *4 : 67*
auxiliary arm T-attachment, *4 : 70*
axle, *2 : 145*

B

backfill, *3 : 222*
bailer, *3 : 182*
ball, *2 : 179*
ball-and-socket suspension insulator, *2 : 136*
ball-ball, *2 : 181*
ball-ball adaptor, *2 : 181*
ball clevis, *2 : 151*
ball eye, *2 : 180*
ball-socket, *2 : 170*
ball-socket adjuster, *4 : 152*
ball-socket eye, *2 : 171*
band, *4 : 4*
bare conductor, *2 : 31*
bare-hand method, *4 : 265*
base plate, *1 : 133*
base width, *1 : 156*
basket, *3 : 294*
batch, *3 : 201*
batching, *3 : 184*
beacon, *1 : 230*
beam, *1 : 171*
beam gantry, *1 : 170*
bearing pressure, *3 : 45*
belt, *4 : 217*
belt-safety harness, *4 : 240*
bending moment, *3 : 36*
bent plate, *1 : 152*
binding wire, *2 : 167*
bipod mast, *4 : 68*
birdcaging, *3 : 276*
bit, *3 : 198, 227*
blanket clamp, *4 : 178*
blank pole, *4 : 60*
blasting, *3 : 185*
block, *3 : 147, 153*
block and fall, *3 : 148*
block and tackle, *3 : 148*
block-foundation, *1 : 224*
block-foundation tower, *1 : 210*
body extension, *1 : 188*
body harness, *4 : 240*
body (of a clamp), *2 : 81*
bog, *3 : 72*

bolt, *1 : 139, 2 : 145*
bolt bag, *4 : 201*
bolted connection, *3 : 247*
bolted parallel groove connector, *2 : 102*
bolt-holder, *4 : 169*
bolting, *3 : 232*
bolt with nut, *1 : 96*
bonding lead, *4 : 143*
boom, *3 : 236, 4 : 65*
boom support pole, *4 : 66*
bootlining, *4 : 186*
bootsock, *4 : 186*
borehole, *3 : 192*
borrow pit, *3 : 186*
bosom angle cover plate, *1 : 157*
bosom angle iron, *1 : 151*
bottom cap, *4 : 50*
bottom strap, *4 : 225*
brace, *1 : 42, 4 : 66*
bracing rod, *1 : 97*
bracing system, *1 : 181*
bracket, *2 : 163*
brald, *4 : 135*
breakdown, *3 : 103*
breaking load, *3 : 20*
broken stone, *3 : 58*
bucket, *3 : 294*
bucket lining, *4 : 190*
bucket truck, *3 : 280, 4 : 236*
buckling, *3 : 40*
built-up method of erection, *3 : 254*
bulldozer, *3 : 132*
bull line, *3 : 265*
bullwheel puller, *3 : 324*
bullwheel tensioner, *3 : 284*
bundle, *2 : 26*
bundle conductor, *2 : 26*
bundled conductor, *2 : 26*
butt, *1 : 52*
butt joint, *3 : 248*
butt-ring ladder, *4 : 234*
buzzer, *4 : 260*
by-pass jumper, *4 : 131*

C

cable cutter, *3 : 273*
cable guard, *1 : 126*
cable pole, *1 : 70*
cable-type hoist, *3 : 320*
caisson, *3 : 172*
cant hook, *3 : 263*
cap, *2 : 108*
cap-and-pin insulator, *2 : 132*
capstan drum, *3 : 307*
capstan hoist, *3 : 264, 4 : 110*
casing, *3 : 228*
castellated end-fitting, *4 : 7*
catenary, *3 : 74*
catenary constant, *3 : 82*
catenary constant at sagging, *3 : 82*
catenary constant for sag calculations, *3 : 82*
catenary constant for spotting, *3 : 82*
cement, *2 : 129, 3 : 175*
centre distance, *3 : 10*
centre of rotation, *3 : 51*
chain binder, *4 : 86*
chainette tower, *1 : 189*
chain extension, *4 : 90*
chain tightener, *4 : 86*
change-of-state equation, *3 : 76*
channel, *1 : 175*
Chicago grip, *3 : 287*
C-holder, *4 : 120*
chuck blank, *4 : 161*
chute, *3 : 202*
circuit, *1 : 9, 40*
circuit of an electric line, *1 : 9*
clamp, *2 : 58, 4 : 16*
clamping-in, *3 : 292*
clamps, *3 : 267*
clamp top keeper holder, *4 : 153*
clamp top saddle fork, *4 : 155*
clay, *3 : 50*
cleaning solvent, *4 : 49*

clearance, 3 : 4
clearance to ground, 3 : 6
clearance to ground potential, 3 : 5
clearance to obstacles, 3 : 7
clevis, 2 : 148, 4 : 87
clevis adapter, 4 : 84
clevis-and-tongue suspension insulator, 2 : 133
clevis-clevis connector, 2 : 152
clevis eye, 2 : 150
clevis nut, 2 : 161
clevis pin, 2 : 145
climber, 4 : 239
climbering iron, 4 : 239
clipping-in, 3 : 292
closing (of strands), 2 : 2
cloverleaf standoff, 2 : 156
coarse sand, 3 : 67
cohesion, 3 : 52
cold-formed angle, 1 : 152
combination insulator cradle, 4 : 107
combined drilling, 3 : 195
combined method of erection, 3 : 257
come-along grip, 3 : 300
come-along hoist, 3 : 150
common neutral conductor, 2 : 30
common structure, 1 : 24
compacting, 3 : 177
compaction, 3 : 177
composite conductor, 2 : 27
composite insulator, 2 : 137
compression, 3 : 32
compression connector, 2 : 69
compression force, 3 : 36
compression joint, 2 : 84, 87
compression joint aplication, 3 : 288
compressor, 3 : 178
compressor for splicing conductors, 3 : 309
concrete, 3 : 166
concrete anchor, 1 : 218
concrete block foundation, 1 : 226
concrete chute, 3 : 202
concrete foundation, 1 : 223
concrete mixer, 3 : 168

concrete mixing plant, *3 : 173*
concrete structure, *1 : 34*
concrete vibrator, *3 : 161*
concreting, *3 : 167*
conductive clothing, *4 : 211*
conductor, *2 : 4*
conductor arrangement, *1 : 1*
conductor bundle, *2 : 26*
conductor car, *3 : 296, 4 : 245*
conductor cleaning brush, *4 : 139*
conductor configuration, *1 : 1*
conductor cover, *4 : 179*
conductor cutter, *3 : 269*
conductor formation, *1 : 1*
conductor gauge, *4 : 159*
conductor grip, *3 : 299*
conductor guard, *1 : 126*
conductor hook, *3 : 274*
conductor joint, *2 : 83, 87*
conductor spacing, *3 : 8*
conductor support hardware, *1 : 1*
cone-type joint, *1 : 244*
connection, *3 : 247*
connector, *2 : 67, 70, 97*
construction block, *3 : 155*
construction load, *3 : 15*
contact voltage, *3 : 122*
continuous current-carrying capacity, *3 : 105*
control span, *3 : 302*
conventional boom, *3 : 237*
conventional crane, *3 : 237*
copper conductor, *2 : 25*
copperweld conductor, *2 : 23*
copperweld-copper conductor, *2 : 24*
core, *2 : 1, 120*
corner construction bracket, *1 : 138*
corona, *3 : 110*
corona effect, *3 : 110*
corona-induced vibration, *3 : 129*
corset-type tower, *1 : 208*

cotter-key installer, **4 : 157**
cotter-key installer-remover, **4 : 158**
cotter-key installing tool, **4 : 157**
cotter-key puller, **4 : 149**
cotter-key pusher, **4 : 158**
cotter-key remover, **4 : 148**
counterpoise, **2 : 34**
counterpoise wire, **2 : 34**
counterweight, **2 : 158**
coupler, **4 : 89**
cover, **2 : 75**
coveralls, **4 : 188**
cover plate, **1 : 154**
cover-up equipment, **4 : 183**
crane, **3 : 241**
crane erection, **3 : 252**
crawler tractor, **3 : 157**
crawler-type loader, **3 : 135**
creep, **3 : 41**
creepage distance, **2 : 124**
crib, **1 : 82**
crossarm, **1 : 57, 146**
crossarm brace, **1 : 42**
crossarm connecting gain, **1 : 91**
crossarm cover, **4 : 181**
crossarm pin, **2 : 185, 188**
crossarm support, **1 : 91**
crossarm-type saddle, **4 : 101**
cross-braces, **1 : 43**
crossing, **1 : 10, 41**
crossing structure, **1 : 33, 3 : 310**
crossing warning device, **1 : 228**
cross rope suspension tower, **1 : 189**
crushed stone, **3 : 58**
C-shaped ball-socket adjuster, **4 : 152**
C-shaped connector, **2 : 69**
C-type grounding clamp, **4 : 113**
curing, **3 : 181**
current-carrying capacity, **3 : 105**
curved washer, **1 : 124**
cutting-off, **3 : 162**
cut-wire grip, **4 : 168**

damper, **2 : 42**
damper holder, **2 : 46**
damper socket, **2 : 46**
damper tube, **2 : 45**
dancing, **3 : 111**
danger sign, **1 : 115**
dating nail, **1 : 99**
dead-end, **2 : 86**
dead-end clamp, **2 : 91**
deadend compression yoke, **4 : 80**
dead-end insulator, **2 : 131**
dead-end insulator string, **2 : 109**
dead-end joint, **2 : 86**
dead-end sleeve, **2 : 86**
dead-end structure, **1 : 26, 29**
dead-end tension joint, **2 : 86**
dead ground, **3 : 62**
dead line method, **4 : 267**
deadman, **1 : 75**
decelerating device, **4 : 213**
deformation, **3 : 35**
delta arrangement, **1 : 7**
delta configuration, **1 : 7**
delta formation, **1 : 7**
depot, **3 : 137**
descent control device, **4 : 215**
descent device, **4 : 229**
dewatering, **3 : 188**
diagonal, **1 : 155**
diagonal cross-section of tower, **3 : 92**
diagonal leg profile, **3 : 92**
diaphragm, **1 : 142**
differential settlement, **3 : 70**
digging bar, **3 : 164**
direct embedment, **1 : 85**
direct embedment with base plate, **1 : 87**
direct embedment with pole footing, **1 : 87**
direction of lay, **2 : 9**
disc, **2 : 123**
disconnect portal structure, **1 : 18**
disconnect stick, **4 : 38**
distribution line, **1 : 13**

*double arming bolt, **1 : 97, 2 : 146***
*double arming foot, **2 : 166***
*double clamp, **4 : 20***
*double-circuit configuration tower, **1 : 194***
*double-circuit structure, **1 : 22***
*double-circuit vertical arrangement, **1 : 4***
*double-circuit vertical configuration, **1 : 4***
*double-circuit vertical formation, **1 : 4***
*double lacing, **1 : 182***
*double-lacing redundant support, **1 : 183***
*double lattice, **1 : 182***
*double-stick clamp, **4 : 20***
*double warren, **1 : 182***
*double-warren redundant support, **1 : 183***
*down guy, **1 : 46***
*drill bit, **3 : 198, 227***
*driller, **3 : 199***
*drill hole, **3 : 192***
*drilling, **3 : 192***
*drilling bit, **3 : 198, 227***
*drilling machine, **3 : 199***
*drill pipe string, **3 : 226***
*driving, **3 : 165, 191***
*dropper, **1 : 138***
*drum, **3 : 318***
*drum puller, **3 : 323***
*drum tensioner, **3 : 284***
*dry lubricant, **4 : 13***
*duplex cable, **2 : 37***
*duplicate set, **2 : 113***
*duplicate string, **2 : 113***
*dynamiting, **3 : 185***
*dynamometer, **3 : 235***

E

elastic limit, **3 : 44**
electrical hazard sign, **1 : 116**
electric field, **3 : 100**
electric flux density, **3 : 112**
electric line, **1 : 16**
electromagnetic field, **3 : 101**
elongation, **3 : 11**
embedment, **1 : 83**
end fitting, **4 : 8**
eolian vibration, **3 : 128**
equipotential grid, **4 : 121**
equipotentiality grid, **4 : 121**
erection, **3 : 251**
erection by crane, **3 : 252**
erection by gin-pole, **3 : 256**
erection by helicopter, **3 : 255**
erection by up-ending, **3 : 259**
erection with pre-assembled components, **3 : 254**
everyday load, **3 : 21**
excavated material, **3 : 183**
excavation, **3 : 183, 200**
excavator, **3 : 216**
expanding anchor, **1 : 79**
expansion agent, **3 : 160**
explosion joint, **2 : 88**
explosion sleeve, **2 : 88**
extending ladder, **4 : 231**
extension chain, **4 : 90**
extension fitting, **2 : 178**
extension ladder, **4 : 231**
extension link, **2 : 178**
extension rod, **1 : 129**
extension strap, **2 : 178**
eye block, **4 : 82**
eyebolt, **1 : 94**
eye nut, **1 : 111**

F

failure load, **3 : 20**
fall arrester, **4 : 230**
fall-prevention device, **4 : 230**
fall-prevention slide grip, **4 : 214**
fastener seal, **1 : 98**
fault current, **3 : 107**
festoon (damper), **2 : 48**
fibre rope, **3 : 136, 4 : 220**
field-intensity meter, **4 : 259**
fill, **3 : 222**
filler plate, **1 : 160**
fillet, **1 : 145**
filling, **3 : 222**
final sag, **3 : 79**
final tension, **3 : 96**
fine sand, **3 : 67**
finger line, **3 : 283**
first-aid kit, **4 : 208**
fixed double-prong head, **4 : 154**
fixed-end moment, **3 : 60**
fixture, **2 : 163**
flange, **1 : 140**
flashover, **3 : 104**
flat-face grounding clamp, **4 : 119**
flat-web sling, **3 : 139**
flexible cover, **4 : 177**
flexible insulated wrench, **4 : 42**
flexible spacer, **2 : 57**
flexible wrench head, **4 : 170**
flexible wrench stick, **4 : 42**
flexural buckling, **3 : 40**
flexural moment, **3 : 36**
floating-angle structure, **1 : 28**
floating dead-end assembly, **2 : 110**
flying-angle structure, **1 : 28**

foam, *4 : 23*
folding-rule holder, *4 : 172*
foot, *1 : 169, 4 : 45*
footing, *1 : 226*
force, *3 : 42*
fork, *1 : 159*
fork suspension stick, *4 : 33*
formwork, *3 : 176*
foundation, *1 : 221*
foundation pit, *3 : 200*
four-legged tower, *1 : 213*
frame, *2 : 50*
frame structure, *1 : 17*
friction, *3 : 57*
front-end loader, *3 : 135*
full tension sleeve, *2 : 83*
fuse puller, *4 : 167*

G

galloping, 3 : 111

gap, 4 : 258

gauge distance, 1 : 164

gauge line, 1 : 164

gin, 4 : 69

gin pole, 3 : 260, 4 : 69

gin-pole method of erection, 3 : 256

glaze loading, 3 : 24

gloss restorer, 4 : 14

glove, 4 : 192

grading ring, 2 : 144

grading shield, 2 : 144

gravel, 3 : 58

gravity-type mixer, 3 : 168

grillage anchor, 1 : 216

grillage foundation, 1 : 222

grillage-type footing, 1 : 222

grip-all adapter, 4 : 136

grip-all clamp stick, 4 : 28

groove, 2 : 121, 125

ground clearance, 3 : 6

ground cluster bar, 4 : 105

grounding-clamp support stud, 4 : 104

grounding-cluster support, 4 : 105

grounding electrode, 2 : 96

grounding system, 2 : 12

ground line, 1 : 53

ground rod, 2 : 94

ground-rod clamp, 2 : 100

ground-rod coupling, 2 : 89

ground wire, 2 : 14

ground-wire clamp, 2 : 98

ground-wire hoisting plate, 4 : 126

ground-wire molding, 1 : 127

ground-wire peak, 1 : 144

ground-wire support plate, 4 : 126

H

hacksaw, **4 : 174**
hammer, **3 : 213, 4 : 162**
hammer drill, **3 : 208**
hammer-type wire cutter, **3 : 319**
handguard, **4 : 156**
hand line, **3 : 272, 4 : 223**
hand-line hook, **3 : 275, 4 : 228**
hand stick, **4 : 32**
hanger, **1 : 55**
hanger hook, **4 : 144**
hardware, **2 : 38, 143**
H beam, **1 : 172**
head, **4 : 51**
headband, **4 : 206**
head guy, **1 : 48**
heel, **1 : 143**
helicopter erection, **3 : 255**
H frame, **1 : 17**
hillside extension, **1 : 176**
hoist, **3 : 147**
hoisting cable, **3 : 233**
hoisting line, **3 : 233**
hold-down block, **3 : 306**
hold-down weight, **2 : 158**
hollow drill rod, **3 : 226**
honeycombing, **3 : 214**
hook assembly, **4 : 16**
hook ladder, **4 : 232**
hook stick, **4 : 28**
hook-stick adapter, **4 : 136**
hook-stick extension, **4 : 47**

I

I beam, *1 : 173*
identification, *1 : 50*
identification plate, *1 : 121*
inclined span, *3 : 87*
individual positioning (of footings), *3 : 221*
initial sag, *3 : 80*
initial tension, *3 : 97*
inserted joint, *3 : 249*
insulated, *4 : 12*
insulated conductor, *2 : 29*
insulated-glove method, *4 : 264*
insulated handle, *4 : 15*
insulated ladder, *4 : 235*
insulated oiler stick, *4 : 35*
insulating, *4 : 11*
insulating arm sleeve, *4 : 200*
insulating glove, *4 : 195*
insulating-glove cover, *4 : 207*
insulating ladder, *4 : 235*
insulating mat, *4 : 133*
insulating part, *2 : 126*
insulating stick, *4 : 39*
insulator, *2 : 122*
insulator bracket, *2 : 155*
insulator cover, *4 : 182*
insulator cradle, *4 : 109*
insulator cradle adapter, *4 : 102*
insulator cradle carrier, *4 : 128*
insulator cradle holder, *4 : 103*
insulator, cutout and arrester bracket, *2 : 156*
insulator-holder, *4 : 112*
insulator lifter, *3 : 301*
insulator protective fittings, *2 : 177*
insulator separator, *4 : 63*
insulator string, *2 : 112*
interlocking sheet piling, *3 : 171*
intermediate live-line method, *4 : 266*
intermediate structure, *1 : 25*
I section, *1 : 173*
isolating portal, *1 : 18*

J

K

L

lacing system, *1 : 181*
ladder, *1 : 233*
ladder clamp, *4 : 243*
ladder extension, *4 : 248*
ladder holder, *4 : 246*
ladder-support attachment, *4 : 251*
lag bolt, *1 : 136*
lag screw, *1 : 136*
lanyard, *4 : 221*
lap joint, *3 : 250*
large tracks, *3 : 132*
lateral conductor, *2 : 16*
lateral displacement, *3 : 53*
lateral support below ground, *1 : 86*
lattice tower, *1 : 20*
layer, *2 : 5*
lay ratio, *2 : 8*
lead line, *3 : 266*
leakage current, *3 : 108*
leakage distance, *2 : 124*
leakage path, *2 : 124*
leather glove, *4 : 194*
leg extension, *1 : 176*
leg(-)strap, *4 : 249*
length of lay, *2 : 7*
let-off reel stand, *3 : 268*
leveling, *3 : 220*
level sag, *3 : 78*
level sag measurement, *3 : 290*
level span, *3 : 86*
lever lift saddle, *4 : 94*
lever lift wire tong support, *4 : 94*
lever-operated hoist, *3 : 150*
lever-type stick with compressor
      for splicing conductors, *4 : 34*
lever-type tightener, *4 : 86*
lever-type wire cutter, *4 : 36*
lever-type wire-cutter stick, *4 : 36*
lifeline, *4 : 222*
lift-pole band, *4 : 5*
limit load, *3 : 29*

line, 1 : 16
line conductor, 2 : 4
line corridor, 3 : 75
line equipment, 3 : 144
lineman's bag, 4 : 203
lineman's belt, 4 : 219
lineman's blanket, 4 : 177
lineman's body belt, 4 : 219
line post insulator, 2 : 141
liner, 4 : 191
line route, 3 : 98
line stringing swivel, 3 : 281
line swivel link, 3 : 281
line to ground voltage, 3 : 125
line to line voltage, 3 : 121
line to neutral voltage, 3 : 126
lining, 4 : 191
link, 2 : 173
link stick, 4 : 53
link-stick clamp, 4 : 151
link-stick head, 4 : 151
live-metal to ground clearance, 3 : 5
load, 3 : 13
loader, 3 : 135
load factor, 3 : 37
loading, 3 : 13
loading assumptions, 3 : 43
loading case, 3 : 12
local buckling, 3 : 40
locating pin, 4 : 138
location plate, 1 : 120
locking splice, 4 : 44
locknut, 1 : 112
lock washer, 1 : 131
log anchor, 1 : 75
longitudinal cross-section, 3 : 93
longitudinal load, 3 : 27
longitudinal profile, 3 : 93
long-rod insulator, 2 : 134
loop structure, 1 : 30
louver warning device, 1 : 240
low point, 3 : 84
lubricant, 4 : 13

M

machine bolt, *1 : 96*
machine drill, *3 : 208*
magnetic field, *3 : 102*
magnetic flux density, *3 : 113*
main leg, *1 : 166*
maintenance load, *3 : 19*
making of compression joints, *3 : 288*
marking, *1 : 51*
marsh, *3 : 59*
mast, *4 : 67*
mast assembly, *4 : 261*
mast pole, *4 : 67*
material, *3 : 143*
maximum sag of a conductor, *3 : 81*
messenger, *2 : 35*
metallic structure, *1 : 37*
metal part, *2 : 128*
mid-span connection support, *2 : 104*
mid-span sag, *3 : 77*
mid-span sag measurement, *3 : 289*
mid-span tension joint, *2 : 87*
mirror, *4 : 163*
mitt, *4 : 198*
mitten, *4 : 198*
mixing, *3 : 168*
mixing water, *3 : 201*
mobile crane, *3 : 244*
mobile plant, *3 : 173*
modular terminator, *2 : 66*
moisture tester, *4 : 254*
moment at fixed end, *3 : 60*
monkey, *3 : 213*
mounting stud, *2 : 168*
mule, *3 : 240*
multiple-circuit structure, *1 : 38*
multiple conductor, *2 : 26*
multiple set, *2 : 116*
multiple string, *2 : 116*
muskeg, *3 : 72*

N

neutral conductor, *2 : 30*
neutral connector, *2 : 99*
night warning device, *1 : 230*
"no climbing" sign, *1 : 117*
node, *1 : 168*
non-tension joint, *2 : 85*
non-tension sleeve, *2 : 85*
nonuniform glaze loading, *3 : 25*
nonuniform rime loading, *3 : 17*
nut, *1 : 109*

O

off-road carrier, *3 : 152*
off-road vehicle, *3 : 152*
offset clamping, *3 : 293*
offset clipping, *3 : 293*
offset profile, *3 : 94*
oil, *4 : 13*
one-finger mitten, *4 : 193*
operating temperature, *3 : 46*
oval-eye bolt, *1 : 94*
overall dimension, *1 : 12*
overalls, *4 : 205*
overboot, *4 : 189*
overburden, *3 : 62*
overhead earth wire, *2 : 12*
overhead ground wire, *2 : 12*
overshoe, *4 : 189*
overturning moment, *3 : 61*
overvoltage, *3 : 120*

pace voltage, **3 : 123**
packing, **1 : 160**
pad, **4 : 226**
panel, **1 : 187**
panel point, **1 : 168**
parallel groove clamp, **2 : 102**
parka, **4 : 184**
patching kit, **4 : 24**
patch rods, **2 : 80**
peat bog, **3 : 72**
peavey, **3 : 263**
percussion drilling, **3 : 196**
percussive drilling, **3 : 196**
petticoat, **2 : 123**
phase conductor, **2 : 15**
phase spacing, **3 : 8**
phase to ground voltage, **3 : 125**
phase to neutral voltage, **3 : 126**
phase to phase voltage, **3 : 121**
phasing tester, **4 : 252**
piggyback clamp, **4 : 116**
pike pole, **3 : 261**
piking, **3 : 253**
pile, **1 : 227**
pile anchor, **1 : 217**
pile cap, **3 : 174**
pile driver, **3 : 209**
pile shoe, **3 : 224**
pilot line, **3 : 266**
pilot-line connector, **3 : 311**
pilot-line winder, **3 : 321**
pin, **2 : 130, 184**
pin ball, **2 : 179**
pin-head adaptor, **2 : 160**
pin-holder, **4 : 169**
pin insulator, **2 : 142**
pin-type insulator, **2 : 140, 142**
pin-type insulator clamp, **2 : 103**
piston(-type) damper, **2 : 39**
pit, **3 : 134**

pitch, *2 : 127*
pivot-type pole platform attachment, *4 : 98*
pivot-type suspension clamp, *2 : 93*
pivot-type tower platform attachment, *4 : 98*
placing, *3 : 210*
plan and profile, *3 : 83*
plan bracing, *1 : 142*
plate anchor, *1 : 76*
platform, *2 : 50, 4 : 247*
platform mounting attachment, *4 : 98*
pneumatic drill, *3 : 208*
point resistance of a pile, *3 : 64*
pole, *1 : 19*
pole band, *1 : 102*
pole bearing plate, *1 : 133*
pole body, *1 : 45*
pole clamp, *1 : 102, 4 : 21*
pole claws, *3 : 246*
pole cover, *4 : 180*
pole gain, *1 : 118*
pole hanger, *4 : 144*
pole identification, *1 : 50*
pole key, *1 : 81*
pole marking, *1 : 51*
pole step, *1 : 108*
pole stub, *1 : 69*
pole-top bracket, *2 : 164*
pole-top pin, *2 : 187*
pole treatment, *1 : 56*
pole-type saddle, *4 : 99*
pollution-type insulator, *2 : 135*
portal structure, *1 : 17*
positive-grip clamp stick, *4 : 29*
positive-grip clamp stick head, *4 : 145*
post insulator, *2 : 141*
pothead, *2 : 66*
power conductor car, *3 : 296, 4 : 245*
power line, *1 : 16*

preformed damper, *2 : 43*
preformed guy grip, *1 : 92*
preformed guy link, *1 : 92*
preformed rods, *2 : 78*
preformed spacer, *2 : 55*
prepacked dry concrete, *3 : 212*
pre-splice wire cutter, *4 : 36*
pressure, *3 : 45*
pressure injected anchor, *1 : 219*
pretensioning, *3 : 308*
prime mover, *3 : 157*
protection device, *4 : 183*
protective cap, *4 : 2*
protective cover, *4 : 183*
pruning saw, *4 : 175*
public-lighting pole, *1 : 68*
puller, *3 : 322*
puller-tensioner, *3 : 285*
pulley, *3 : 147*
pulley wheel, *3 : 156*
pulling line, *3 : 265*
pulling-line connector, *3 : 311*
pulling rope, *3 : 265*
pulling section, *3 : 316*
pulling site, *3 : 304*
pull site, *3 : 304*
puncture, *3 : 116*
push brace, *1 : 42*
push guy, *1 : 42*

Q

quad bundle, 2 : 26
quadruplex cable, 2 : 37
quarry, 3 : 134
quick-hardening concrete, 3 : 175
quick-hardening grout, 3 : 175
quick link, 4 : 242

R

radio interference, **3 : 117**
railing, **4 : 238**
rain vibration, **3 : 127**
ram, **3 : 213**
ramming, **3 : 177**
ratchet hoist, **3 : 150**
ratchet wrench, **4 : 140**
ready-mixed concrete, **3 : 170**
redundant bracing, **1 : 180**
reel, **3 : 318**
reel carrier, **3 : 314**
refusal, **3 : 219**
release clamp, **2 : 90**
release-type suspension clamp, **2 : 90**
repair sleeve, **2 : 72**
rescue kit, **4 : 209**
resistance due to lateral friction (on a pile), **3 : 65**
resistance due to side friction (on a pile), **3 : 65**
ridge-pin construction, **1 : 7**
rigging, **3 : 145**
right-of-way, **1 : 11**
rigid head wire-holding stick, **4 : 31**
rigid insulator, **2 : 140**
rigid spacer, **2 : 56**
rigid structure, **1 : 39**
rigid tower, **1 : 212**
rime loading, **3 : 16**
rock, **3 : 66**
rock anchor, **1 : 80**
rock anchor bracket, **1 : 107**
rock installation, **1 : 89**
rod, **4 : 52**
roll-bag, **4 : 10**
roller assembly, **4 : 74**
roller crossarm support, **4 : 132**
roller link stick, **4 : 57**
roller wireholder, **4 : 72**
rolling, **3 : 118**
roll layout, **4 : 63**
root, **1 : 145**

S

saddle, **4 : 92**
saddle extension, **4 : 91**
safety factor, **3 : 38**
safety glasses, **4 : 196**
safety goggles, **4 : 197**
safety harness, **4 : 240**
safety helmet, **4 : 185**
safety line, **4 : 222**
safety retaining cable, **4 : 221**
safety shoe, **4 : 187**
safety snap, **4 : 244**
safety spectacles, **4 : 196**
safety spool, **4 : 216**
safety strap, **4 : 241**
sag, **3 : 77**
sag board, **3 : 297**
sagging, **3 : 313**
sag measurement, **3 : 291**
sag section, **3 : 317**
sag span, **3 : 302**
sag target, **3 : 297**
Salvi damper, **2 : 44**
sand, **3 : 67**
screw anchor, **1 : 77**
screwdriver, **4 : 176**
screwdriver-spanner, **4 : 176**
screw ground rod, **4 : 124**
screw hook, **2 : 74**
seat, **2 : 59, 4 : 250**
secondary bracing, **1 : 180**
secondary clevis, **2 : 175**
secondary member, **1 : 167**
secondary rack, **2 : 165**
secondary transmission line, **1 : 14**
section, **3 : 73**
sectional erection, **3 : 258**
section method of erection, **3 : 258**
section structure, **1 : 26**
securing line, **4 : 221**
security clip, **2 : 169**
self-aligning fuse puller, **4 : 167**
self-propelled crane, **3 : 243**
self-supporting structure, **1 : 39**
self-supporting tower, **1 : 212**

semi-tubular conductor cleaning brush, *4 : 139*
separate-footing foundations, *1 : 225*
separation, *3 : 9*
service conductor, *2 : 13*
service-line support, *2 : 104*
service pole, *1 : 67*
service wedge clamp, *2 : 92*
serving sleeve, *1 : 114*
servisleeve, *1 : 114*
settlement, *3 : 69*
shackle, *2 : 174*
shear, *3 : 31*
shear force, *3 : 36*
shear strength, *3 : 63*
shear-type lever wire cutter, *4 : 36*
sheave, *3 : 156, 4 : 88*
shed, *2 : 107, 123*
sheeting, *3 : 171*
shell, *2 : 123*
shepherd hook, *4 : 147*
shielding angle, *3 : 2*
shield wire, *2 : 12*
shock absorber, *4 : 213*
shock current, *3 : 106*
shoe, *3 : 224, 4 : 75*
short-circuit clamp, *4 : 123*
shoulder eyebolt, *1 : 95*
shunt connection, *2 : 33*
side arm, *1 : 58*
side-opening insulator cradle, *4 : 108*
side slope at x meters, *3 : 94*
sidewalk guy, *1 : 47*
silica gel, *4 : 257*
single-circuit structure, *1 : 23*
single conductor, *2 : 32*
single-conductor pothead, *2 : 66*
single lacing, *1 : 186*
single lattice, *1 : 186*
single-pole (strain-carrier) yoke, *4 : 78*
single set, *2 : 118*
single standoff insulator bracket, *2 : 157*
single string, *2 : 118*
single trolley-wheel for stick, *4 : 73*
single warren, *1 : 186*

sinking, **3 : 191**
site equipment, **3 : 141**
skinning knife, **4 : 141**
sky wire, **2 : 12**
slack stringing, **3 : 278**
sleeve, **2 : 83**
sleeve damper, **2 : 45**
slide-grip, **4 : 214**
sling, **3 : 139**
slinging, **3 : 138**
sloping span, **3 : 87**
slump test, **3 : 189**
smoothing, **3 : 207**
snaking, **3 : 119**
snap-on-type grounding clamp
    with eyescrew, **4 : 115**
snapout cotter-key remover, **4 : 150**
snatch block, **3 : 155**
snubbing grip, **4 : 17**
socket, **2 : 170**
socket ball, **2 : 172**
socket clevis, **2 : 149**
socket eye, **2 : 171**
socketing, **3 : 180**
socket tongue, **2 : 171**
soil, **3 : 71**
soil tamper, **3 : 217**
"sold" sign for wood pole, **1 : 101**
solid core, **2 : 1**
spacer, **2 : 52**
spacer damper, **2 : 53**
spacing, **3 : 10**
spacing bolt, **1 : 97, 2 : 146**
span, **3 : 85**
span length, **3 : 85**
spiral link stick, **4 : 54**
splice, **3 : 140**
spliced-end tool, **4 : 164**
spliced ladder, **4 : 233**
split pin, **2 : 169**
spool bolt, **2 : 147**
spool insulator, **2 : 139**
spoon, **3 : 215**
spout, **3 : 202**

spreader bar, **4 : 237**
spring-type spacer, **2 : 54**
square-edge angle iron, **1 : 150**
square washer, **1 : 123**
standard insulator cradle, **4 : 106**
staple, **1 : 104**
stay, **1 : 46, 163**
stay anchor, **1 : 78**
stayed pole, **1 : 73**
stayed structure, **1 : 36**
stayed tower, **1 : 207**
stayed-V tower, **1 : 205**
stayed-Y tower, **1 : 206**
stay hook, **1 : 105**
stay rod, **1 : 90**
steel-arm yoke, **4 : 79**
steel pole stub, **1 : 137**
steel strap, **1 : 132**
steel tower, **1 : 20**
step bolt, **1 : 234**
step voltage, **3 : 123**
stick, **4 : 39**
stick extension, **4 : 46**
stick with compressor for splicing conductors, **4 : 34**
stick with C-type grounding clamp, **4 : 27**
stirrup, **2 : 82, 4 : 64**
Stockbridge damper, **2 : 44**
stocking-type pulling grip, **3 : 267**
straight-line structure, **1 : 25**
strain, **3 : 35, 36**
strain-carrier hook assembly, **4 : 19**
strain-carrier pole clamp, **4 : 22**
strain-carrier stick, **4 : 58**
strain clamp, **2 : 91**
strain insulator, **2 : 131, 138**
strain insulator string, **2 : 109**
strain link, **2 : 162**
strain link stick, **4 : 56**
strain plate, **1 : 119**
strain plate for multiple string, **4 : 127**
strain structure, **1 : 26**
strand, **2 : 6, 10**
stranded conductor, **2 : 3**

stranded core, **2 : 1**
stranding, **2 : 2**
stress, **3 : 33, 36**
striking-off, **3 : 162**
stringing, **3 : 277**
stringing block, **3 : 305**
stringing section, **3 : 315**
string-insulator unit, **2 : 131**
string of insulators, **2 : 119**
structure, **1 : 21**
strut, **1 : 147**
stub, **1 : 220**
stub guy, **1 : 49**
subconductor, **2 : 36**
subspan, **3 : 95**
subspan oscillation, **3 : 114**
support, **1 : 21**
supported wood crib, **1 : 84**
support stake, **1 : 137**
support stick, **4 : 37**
surface leakage tester, **4 : 255**
survival kit, **4 : 210**
suspension bracket, **2 : 154**
suspension clamp, **2 : 93**
suspension insulator string, **2 : 111**
suspension insulator weight, **2 : 158**
suspension straps (of a suspension clamp), **2 : 82**
suspension structure, **1 : 25**
suspension-type insulator, **2 : 131**
swamp, **3 : 59**
swamp screw anchor, **1 : 88**
swing, **3 : 3**
swing angle, **3 : 1**
swinging bracket, **1 : 138**
switching hook, **4 : 142**
swivel boom, **4 : 62**
swivel gin for insulator string, **4 : 69**
swivel link stick, **4 : 55**
swivel-top gin, **4 : 69**
symmetrical glaze loading, **3 : 26**
symmetrical rime loading, **3 : 18**
synthetic insulator, **2 : 137**

tackle block, **3 : 146**

tag line, **3 : 234**

take-off clip, **4 : 111**

take-up reel winder, **3 : 312**

take-up trunnion, **4 : 83**

tamper, **3 : 217**

tang, **2 : 77**

tangent structure, **1 : 25**

taper, **1 : 44**

tarpaulin, **4 : 1**

T connector, **2 : 71**

telescopic boom, **3 : 238**

telescopic crane, **3 : 238**

telescopic measuring stick, **4 : 40**

telescopic stick, **4 : 44**

temperature rise, **3 : 109**

tensiometer, **3 : 235**

tension, **3 : 47, 49**

tension clamp, **2 : 91**

tensioner, **3 : 284**

tension-free joint, **2 : 85**

tension-free sleeve, **2 : 85**

tension indicator, **3 : 235**

tensioning, **3 : 211**

tensioning site, **3 : 303**

tension insulator, **2 : 131**

tension insulator string, **2 : 109**

tension link stick, **4 : 56**

tension site, **3 : 303**

tension stringing, **3 : 279**

terminal lug, **2 : 73**

terminal structure, **1 : 29**

testing fork, **4 : 256**

test load, **3 : 22**

test sample, **3 : 187**

test specimen, **3 : 187**

thermal clothing, **4 : 212**

thimble, **1 : 103**

thimble-eye bolt, **1 : 93**

thimble-eye nut, **1 : 110**

threading line, **3 : 270**

three-conductor pothead, **2 : 66**

three-phase circuit, **1 : 40**

tie, **2 : 60**
tie rods, **2 : 61**
tie stick, **4 : 25**
tie wire, **2 : 167**
tie-wire prong, **4 : 154**
timber carrier, **3 : 262**
timbering, **3 : 171**
toe resistance of a pile, **3 : 64**
tongue, **2 : 183**
tool accessory, **4 : 164**
toolbag, **4 : 10, 202**
tool holder, **4 : 130**
tool holster, **4 : 199**
tool pouch, **4 : 199**
tool rack, **4 : 48**
tool yoke, **4 : 76**
top, **1 : 54**
top-hamper, **1 : 178**
top strap, **4 : 224**
torque, **3 : 34**
torsion, **3 : 48**
torsional buckling, **3 : 40**
torsional damper, **2 : 41**
torsional moment, **3 : 36**
touch voltage, **3 : 122**
tower, **1 : 20**
tower base, **1 : 169**
tower body, **1 : 161**
tower crane, **3 : 242**
tower member, **1 : 165**
tower outline, **1 : 177**
tower top, **1 : 178**
tower truss, **1 : 170**
tower-type saddle, **4 : 100**
tower window, **1 : 158**
tower yoke, **4 : 81**
tracked carrier, **3 : 152**
tractor, **3 : 157**

transfer area, 3 : 151
transformer adapter plate, 1 : 122
transformer gin, 4 : 69
transformer mounting bracket, 1 : 135
transformer pin, 2 : 186
transmission line, 1 : 15
transposition structure, 1 : 32
transverse load, 3 : 28
traveler, 3 : 305
traveling ground, 4 : 117
treatment, 1 : 56
tree trimmer, 4 : 118
tree trimmer head, 4 : 118
tree(-) trimmer's belt, 4 : 218
tremie, 3 : 229
triangular arrangement, 1 : 2, 7
triangular assembly, 4 : 262
triangular configuration, 1 : 2, 7
triangular formation, 1 : 2, 7
triple anchor tower, 1 : 197
triplex cable, 2 : 37
tripod railing, 4 : 238
trip rope, 3 : 271
trolley pole assembly, 4 : 63
trolley-wheel for stick, 4 : 73
truck crane, 3 : 245
truck mixer, 3 : 169
trunnion, 2 : 106
T section, 1 : 174
T tap structure, 1 : 31
tube, 4 : 59
tube damper, 2 : 45
tubular steel pole, 1 : 214
tuning-fork tower, 1 : 203
tup, 3 : 213
turnbuckle, 2 : 105
twin bundle, 2 : 26
two-footing tower, 1 : 193
two-pole adapter, 4 : 85
two-pole (strain-carrier) yoke, 4 : 77

U

U bolt, *2 : 76, 162*
ultimate bearing capacity, *3 : 56*
unequal glaze loading, *3 : 25*
unequal rime loading, *3 : 17*
uniform glaze loading, *3 : 26*
uniform rime loading, *3 : 18*
universal adapter, *4 : 137*
universal hand stick, *4 : 30*
universal saddle clamp, *4 : 173*
universal splined end-fitting, *4 : 9*
universal tool fitting, *4 : 164*
unloading area, *3 : 130*
up-ending method of erection, *3 : 259*
uplift, *3 : 68*
uplift force, *3 : 54*
uplift roller, *3 : 286*
use factor, *3 : 39*
U-shaped ball-socket adjuster, *4 : 152*
utilization factor, *3 : 39*
utilization rate, *3 : 39*

V

vehicle-mounted aerial device, **3 : 282**
vertical arrangement, **1 : 5**
vertical configuration, **1 : 5**
vertical formation, **1 : 5**
vertical load, **3 : 30**
vertical-pin standoff, **2 : 157**
vibrating needle, **3 : 161**
vibrating plate, **3 : 218**
vibrating roller, **3 : 223**
vibration damper, **2 : 42**
vibratory plate compactor, **3 : 218**
vibratory roller, **3 : 223**
vise-grip holder, **4 : 171**
vise-grip pliers, **4 : 165**
vise-grip wrench, **4 : 165**
voltage, **3 : 124**
voltage detector, **4 : 253**
V set, **2 : 115**
V-shaped conductor cleaning brush, **4 : 139**
V string, **2 : 115**

W

waist, *1 : 153*
waist-type tower, *1 : 208*
wake-induced oscillation, *3 : 115*
washer, *1 : 130*
weather loading, *3 : 14*
wedge holder, *4 : 129*
wedge-type connector, *2 : 68*
wedge-type joint, *1 : 244*
weight span, *3 : 89*
welded connection, *3 : 247*
wet drilling, *3 : 194*
wheel-type tightener, *4 : 86*
winch, *3 : 158*
winch support saddle, *4 : 96*
wind jacket, *4 : 184*
wind load, *3 : 23*
wind span, *3 : 91*
wind vibration, *3 : 128*
wiping cloth, *4 : 3*
wire, *2 : 6*
wire cutter, *3 : 269*
wire-cutter stick, *4 : 36*
wire gauge, *4 : 159*
wireholder, *4 : 71*
wire-holding stick, *4 : 31*
wire rope, *3 : 133*
wire-rope clamp, *1 : 243*
wire-rope clip, *1 : 243*
wire-rope tensioner, *3 : 320*
wire support stick, *4 : 26*
wire-tong band, *4 : 5*
wire-tong block clamp, *4 : 17*
wire-tong pole clevis clamp, *4 : 18*
wire tongs, *4 : 26*
wire-tong saddle, *4 : 99*
wire-tong saddle clevis, *4 : 84*
wire-tong swivel, *4 : 6*
wishbone arrangement, *1 : 3*
wishbone configuration, *1 : 3*
wishbone formation, *1 : 3*
wood structure, *1 : 35*
work cage, *3 : 295*
working load, *3 : 21*
working stick, *4 : 39*

X

X braces, 1 : 43

Y

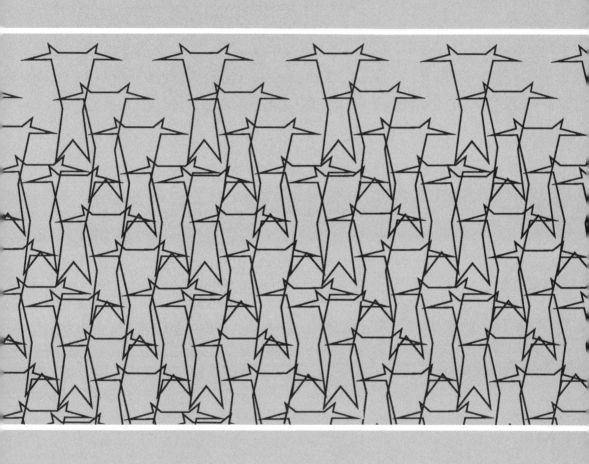

This book is due for return on or before the last date
shown above; it may, subject to the book not being reserved
by another reader, be renewed by personal application, post,
or telephone, quoting this date and details of the book.

HAMPSHIRE COUNTY LIBRARY